NOM◭DES

Les littératures du monde

DU MÊME AUTEUR

THÉÂTRE

Alphonse, Leméac, 1996.

Les Mains d'Edwige au moment de la naissance, Leméac, 1999.

Pacamambo, Leméac/Actes Sud-Papiers, coll. «Heyoka Jeunesse», 2000; Leméac/Actes Sud Junior, coll. «Poche théâtre», 2007.

Rêves, Leméac/Actes Sud-Papiers, 2002.

Willy Protagoras enfermé dans les toilettes, Leméac/Actes Sud-Papiers, 2004.

Assoiffés, Leméac/Actes Sud-Papiers, 2007.

Le soleil ni la mort ne peuvent se regarder en face, Leméac/Actes Sud-Papiers, 2008.

Seuls. Chemin, texte et peintures, Leméac/Actes Sud-Papiers, 2008.

Le Sang des promesses. Puzzle, racines, et rhizomes, Actes Sud-Papiers/Leméac, 2009.

Journée de noces chez les Cromagnons, Leméac/Actes Sud-Papier, 2011.

LE SANG DES PROMESSES

Littoral, Leméac/Actes Sud-Papiers, 1999; 2009; Babel, 2010.

Incendies, Leméac/Actes Sud-Papiers, 2003; 2009; Babel, 2010.

Forêts, Leméac/Actes Sud-Papiers, 2006; 2009.

Ciels, Leméac/Actes Sud-Papiers, 2009; Babel, 2012.

ROMAN

Visage retrouvé, Leméac/Actes Sud, 2002; Babel, 2010.

Un obus dans le cœur, Leméac/Actes Sud Junior, coll. «D'une seule voix», 2007.

Anima, Leméac/Actes Sud, 2012; Babel, 2014.

ENTRETIENS

«Je suis le méchant!», entretiens avec André Brassard, Leméac, 2004.

FORÊTS

Illustration en couverture : *Forêts* pour Wajdi Mouawad © Lino, 2005

Leméac Éditeur remercie le Conseil des arts du Canada, la Société de développement des entreprises culturelles du Québec (SODEC) et le Programme de crédit d'impôt pour l'édition de livres du Québec (Gestion SODEC) du soutien accordé à son programme de publication.

Financé par le gouvernement du Canada
Funded by the government of Canada | Canadä

© LEMÉAC ÉDITEUR, 2009
ISBN 978-2-7609-3616-4

Imprimé au Canada

Wajdi Mouawad

Forêts

LE SANG DES PROMESSES / 3

Postface de Charlotte Farcet

NOM▲DES

pour Anne Lorraine Vigouroux
et Maryse Beauchesne,
jumelles malgré elles

pour Alain Roy

LA CONTRADICTION
QUI FAIT TOUT EXISTER

Nature aime se cacher.

HÉRACLITE

L'événement, souvent, se décide et naît à notre insu. Déjà quand il nous arrive, c'est qu'il a eu lieu. Il est passé, advenu. Nous ne pouvons ni le revoir, ni le regarder, car le temps nous entraîne loin de lui. Il ne reste que le choc de son apparition, de sa venue, de son entrée dans le visible. Notre visible. C'est de cette manière que j'aime regarder une histoire. Croire que c'est elle qui se présente à moi, non pas moi qui l'invente. Située au point exact de mon angle mort, mon point aveugle, je ne pouvais pas la voir et voilà qu'elle surgit. Elle m'a repéré avant que je ne la repère. Je n'invente rien, je tente simplement d'accueillir. Désir juvénile d'être choisi, sans doute. Cela passera. En attendant que jeunesse se passe, voilà qu'avec la publication de *Forêts,* je réalise combien, depuis longtemps, je savais, sans le savoir, que j'étais en train de travailler sur une histoire qui s'écrirait en quatre parties. Mais au moment où j'écrivais la première, je ne pouvais pas dire que c'était une « première partie », justement. Tout cela s'est dévoilé peu à peu, comme sortant du brouillard dans lequel j'avançais et, avançant, le terrain s'éclairait pour que celui qui était derrière moi se referme à nouveau.

Comment tout cela a-t-il commencé? Si l'on veut une histoire, je dirais que, écrivant *Incendies* en 2003, je me battais contre la mauvaise impression de me répéter. Avant, il y avait eu *Littoral* et l'écriture se liait, se mélangeait; des phrases, voire des paragraphes entiers pour ne pas dire une manière de raconter, émigraient allègrement de l'un à l'autre, me donnant la sensation assez désagréable de me copier moi-même. Cela ressemblait à un manque d'imagination flagrant puisque sans être la même histoire, *Incendies* racontait la même chose que *Littoral*. Alors à quoi bon écrire *Incendies*?

Ainsi est née l'idée d'une suite. *Incendies* serait la seconde partie de «quelque chose» dont *Littoral* est la première. Quel est donc ce «quelque chose» et qu'est-ce qui le constituait? Avait-il une troisième, voire une quatrième partie? Poser la question, c'était faire apparaître un horizon dégagé et, de cet horizon, j'ai vu venir quelqu'un, une ombre magnifique et passionnante à contempler dans cette marche qui l'a menée jusqu'à moi pour me dire: «C'est moi, je suis *Forêts*.»

Avec *Forêts* s'achève pour moi, je crois bien, une manière de raconter et de déplier une histoire; s'achève aussi cette conviction de la nécessité des origines et de l'héritage, comme si, plus important encore que le passé, il y avait les ténèbres qu'il fallait pénétrer, quitte à y laisser sa peau et sa raison, pour tenter d'éclairer la violence de notre présence. *Forêts*, en ce sens, clôt définitivement ce «quelque chose» sans nom, sans titre, sans rien, amorcé en 1997. «Quelque chose» qui pourrait ressembler à une odyssée entreprise par Wilfrid dans *Littoral*, poursuivie par Jeanne dans *Incendies* et que Loup mène à son terme, dans *Forêts*. «Quelque chose» sans identité mais qui tourne cependant, je crois, autour de la question de la promesse : promesse tenue, promesse non tenue. Promesse énoncée, promesse renoncée, trahie, tenue et puis oubliée et de nouveau tenue, abandonnée, rejetée, reniée, moquée puis pleurée. La promesse et sa nécessité. Comme une erreur ou encore comme un bonheur, comme une damnation ou comme une victoire. Promesse comme une guerre menée contre le sens qui nous dépèce, contre le vide qui nous noie. Comme amitié dans le ciel.

Ciel.
Justement.

Aujourd'hui que tout cela est raconté, écrit, édité, mis en scène et présenté, un désir étrange de vouloir tout renverser. Comme le besoin, urgent, de trouver une manière de prouver que toute cette insistance à raconter, l'importance de fouiller et le passé et les origines et les ténèbres et la promesse, n'est pas non plus nécessaire pour vivre. Que l'on peut exister en étant à l'opposé de tout cela. Écrivant *Forêts,* j'ai eu la conviction que sans cette contrepartie cinglante qui viendrait contredire magnifiquement tout ce qui est venu avant, l'odyssée ne serait pas complétée, liée, rassemblée, réunie. Sans cette contradiction qui arriverait comme un point d'orgue, final, la violence ne serait pas entière.

Cette quatrième et dernière partie pourrait, en fait, être considérée comme un épilogue puisque, songeant à sa forme, j'y vois, contrairement aux trois premières, une pièce de courte durée, articulée sous une forme théâtrale non frontale et abordant le texte et l'écriture de façon entièrement différente. Je sais aussi, sans en connaître les détails ni les personnages qui la peupleront, qu'il y sera question des tableaux de la Renaissance italienne traitant le thème de l'Annonciation, de terrorisme, d'écoute électronique et de fidélité. Aussi, après *Littoral, Incendies* et *Forêts,* un titre s'est imposé de lui-même : *Ciels.*

Voici donc le texte de *Forêts* dans l'état où il se trouvait après une quarantaine de représentations menées l'hiver 2006. J'ai souhaité l'éditer après un certain nombre de soirs de spectacles pour avoir la possibilité de continuer à apporter au texte les modifications que j'ai été poussé à faire après avoir écouté les spectateurs écouter le spectacle. Aujourd'hui, le texte devrait être assez proche de sa version jouée.

Enfin, je voudrais encore une fois dire combien, sans les acteurs et les concepteurs qui se sont engagés si aveuglément et si entièrement dans l'aventure, je n'aurais pas pu, ni eu la force d'arriver à la fin de l'écriture de *Forêts*. Cela était vrai pour *Littoral* et *Incendies,* cela le fut particulièrement pour *Forêts*. Sans leur attention, leur amitié et leur encouragement constant, sans leur fébrilité continue à brûler et à se consumer en portant le texte, sans leur rage à s'enrager et leur disponibilité pour permettre à *Forêts* de changer leur vie, je n'aurais absolument pas pu trouver la clairière au milieu du bois. Pour cette force qu'ils m'ont donnée, il me revient impérativement, ici, de les remercier comme une promesse tenue, une vie donnée, perdue puis sauvée.

WAJDI MOUAWAD
25 avril 2006

PERSONNAGES

Aimée
Baptiste
Léonie
Lucien
Luce
Achille
Odette
Alexandre
Albert
Hélène
Edgar
Edmond
Sarah
Samuel
Ludivine
Douglas Dupontel
Loup

LE CERVEAU D'AIMÉE

1. Oracle

Froid extrême au-dehors. Fête au-dedans.

a. PLAT PRINCIPAL

AIMÉE. Je ne me souviens de rien et ce que je sais, je le sais parce qu'on me l'a appris. Je ne me souviens ni de la fin de la guerre du Vietnam ni du début de la guerre du Liban et je confonds la crise d'Octobre avec l'Immaculée Conception avec Mai 68 parce qu'on m'interdit d'injurier l'un ou l'autre. Je suis née à Rimouski mais je vis à Montréal, mais j'aurais très bien pu naître en Floride et vivre à Honolulu. Je ne suis jamais allée en Europe, en Asie et encore moins en Afrique et la seule fois où j'ai traversé une frontière, c'était pour aller à Plattsburgh de l'autre côté des lignes américaines pour m'acheter une TV 26 pouces. Je ne sais plus exactement quand on a marché sur la lune, je sais juste que c'est après la mort de Kennedy parce que je suis née quelque part entre les deux, mais pourquoi on a tué Kennedy et pourquoi je suis née, fouillez-moi. Je ne me souviens même pas de la dernière tempête de neige, à peine si je peux prononcer le prénom *Baptiste* parce que c'est celui de l'homme que j'aime, même s'il me casse les oreilles avec son mortier et sa truelle or, aimer un homme a encore un certain sens, je l'avoue ! Mais pour être tout à fait honnête, chers amis artistes, je me sens un peu perdue quand on s'exclame devant la chute du mur de Berlin. Je ne dis pas que ce n'est pas un événement historique, je dis juste que ça n'a jamais fait partie de ma vie ! Jamais personne, ici, ne m'a empêchée d'emprunter telle ou telle rue pour rendre visite à mon oncle ma tante mon chien ou *whatever* ! Je n'y pensais pas au mur de Berlin ! Notre enthousiasme est proportionnel – pour ne pas dire promotionnel – à notre lecture des journaux. Il suffit qu'une guerre éclate à Tombouctou pour qu'on s'intéresse aux Tombouctois, qu'on monte des pièces de théâtre tombouctoises et qu'on fasse des tomboucto'ô ton ! Je ne savais même pas ce que représentait le D dans R.D.A., puis du jour au lendemain, il faut être content et être ému ! Comment voulez-vous être ému pour le mur de Berlin quand personne ne vous encourage à vous révolter dans votre propre pays ! En plus, il faut donner son opinion ! J'en ai pas d'opinion, fuck, je ne sais même pas ce que je vais faire demain, comment voulez-vous que je puisse avoir une quelconque opinion sur un mur que je ne sais même pas qui l'a construit ni pourquoi ! Notre vie doit être assez plate pour avoir besoin du bonheur des autres !

BAPTISTE. Aimée ! Le rôti d'agneau va être froid.

b. DESSERT (2)

TOUS. Joyeux anniversaire, joyeux anniversaire, joyeux anniversaire… Joyeux anniversaire !

c. DESSERT (1)

AIMÉE. C'est pas la fin du monde, c'est sûr, mais c'est l'hiver, et entre les deux on se demande parfois ce qui est préférable ! Faut vouloir tsé, sortir de chez soi, mettre son manteau, ses bottes, sa tuque et ses mitaines, s'armer contre le vent, la tempête, le froid, le fret, l'enfer au grand complet, pour venir ici, comme si on avait un remède contre le malheur ! Mais rien. Rien d'autre à vous dire que ma vie a changé depuis que je vous ai rencontrés. On vous a dit Venez, et vous êtes venus ! Vous êtes les plus beaux amis du monde. Je ne veux pas pleurer ! Jamais je n'aurais pu imaginer ! Chacun de vous ! Chez moi, à dix millions sous zéro ! Je dis chez moi. C'est chez nous. Je m'étais promis de ne pas vous pleurer dans la face. Baptiste et moi. À lui seul il a remis en place les éclats de ma vie éparpillée qui allait, de peau à peau, d'un soir à l'autre, tout casser. Vous le savez. Tout était cassé aussi et il a tout recollé, morceau par morceau, chagrin par chagrin, peine par peine. Il a tout bercé, tout consolé, tout embrassé embrasé sans rien dire, rien exiger, ni le calme ni la parole. On vous a appelés pour vous dire Venez, on a quelque chose à fêter et vous êtes venus. Je vous en remercie du fond de mon âme. Qu'est-ce qu'on fête ? Un anniversaire. L'anniversaire de qui ? Ce sont des mots difficiles à prononcer. Le mur de Berlin est en train de tomber ! Qu'est-ce qu'on pourrait fêter de plus grand que des retrouvailles ? Des millions de gens qui embrassent des millions de gens ! Y a pas mille façons d'annoncer ça, mais comment vous le dire sans que je ne me réveille ? sans que ça ne disparaisse ? sans avoir l'impression de lancer un sort ? comment vous dire que je porte un enfant dans mon ventre sans cesser d'exister ? Voilà. Baptiste et moi allons mettre un enfant au monde. Aujourd'hui, son cœur s'est mis à battre. On l'a entendu. Je ne sais pas si l'un de vous aurait jamais pu croire que moi, Aimée Lambert, avec la vie que j'ai menée et le sexe que j'ai eu, j'allais prononcer un jour une phrase pareille, mais c'est vrai ! Je suis enceinte. Une petite fille. J'avais envie de fêter son anniversaire *d'avant la naissance,* le jour où j'allais l'annoncer à mes amis. Pas de bougie à souffler, mais une allumette à craquer, et comme on n'est pas certain certain de son prénom, on fera un silence.

TOUS. Joyeux anniversaire, joyeux anniversaire, joyeux anniversaire… Joyeux anniversaire !

D. Son anniversaire coïncidera avec la chute du mur de Berlin !

BAPTISTE. Le 9 novembre ne sera pas non plus son véritable anniversaire puisque...

C. Le 9 novembre ne coïncidera pas qu'avec la chute du mur, il coïncidait déjà avec la Nuit de Cristal : synagogues brûlées, maisons détruites, juifs allemands tués, blessés, déportés !

D. Avec des histoires pareilles, on en fera une tragédienne !

B. Une Clytemnestre !

D. C'est une obsession. Il joue Clytemnestre dans *Iphigénie* de Racine ce fou !

BAPTISTE. Qui est-elle, cette Clytemnestre ?

B. Quelqu'un de pas très reposant. Une sombre affaire de famille : Agamemnon veut sacrifier Iphigénie, leur fille, pour que le vent fasse avancer les bateaux grecs jusqu'aux rivages de Troie. L'oracle l'a commandé. Baptiste, tu es Agamemnon et tu viens d'ordonner le sacrifice de ta propre fille. Tu es dans ta tente, tu songes à la cruauté des Dieux, quand moi, Clytemnestre, ta femme, j'apparais :

Vous ne démentez point une race funeste.
Oui, vous êtes le sang d'Atrée et de Thyeste.
Bourreau de votre fille, il ne vous reste enfin
Que d'en faire à sa mère un horrible festin.
Barbare ! C'est donc là cet heureux sacrifice
Que vos soins préparaient avec tant d'artifice.
Pourquoi feindre à nos yeux une fausse tristesse ?
Pensez-vous par des pleurs prouver votre ten-
dresse ?

Quel débris parle ici de votre résistance ?
Quel champ couvert de morts me condamne
au silence ?
Un oracle fatal ordonne qu'elle expire.
Un oracle dit-il tout ce qu'il semble dire ?
Ni crainte, ni respect, ne m'en peut détacher.
De mes bras tout sanglants il faudra l'arracher.
Aussi barbare époux qu'impitoyable père,
Venez, si vous l'osez, la ravir à sa mère.

Musique. Danse.

d. ORACLE

Crise d'épilepsie d'Aimée.

BAPTISTE. Aimée ! Aimée !

AIMÉE. Un seul est le père et les fils sont au
nombre de trois ;
Chacun a autant de filles et la césure au milieu
La dernière, née à midi, morte à minuit !
Oracle de l'oblique,
Du Dieu qui frappe de loin.

e. SEIZE ANS PLUS TARD (1)

DOUGLAS DUPONTEL. D'après le dossier médical
de votre mère, cette fête a eu lieu le 16 novembre
1989, une semaine après la chute du mur de Berlin.
Pas le jour même.

LOUP. J'étais pas là pour tchéquer dans le calendrier, j'étais dans son ventre, je viens de vous

le dire ! Et que ça fasse une semaine, un jour ou trois mois qu'est-ce que ça change, seize ans plus tard ?

DOUGLAS DUPONTEL. Je veux simplement vous prouver que vous ne connaissez pas tout à fait *tout*.

LOUP. Tant mieux tabarnac !

DOUGLAS DUPONTEL. Vous êtes trop liée à cette histoire pour que je puisse vous croire.

LOUP. Qu'est-ce que vous avez à en crisser, vous ? En quoi, au-delà de l'intérêt scientifique du pantalogue que vous êtes…

DOUGLAS DUPONTEL. Paléontologue.

LOUP. …*Whatever* ! Fuck ! En quoi ça vous concerne ?

DOUGLAS DUPONTEL. En tout cas, ça ne concerne pas que vous, ça concerne aussi votre père et la mémoire de votre mère. Vous le savez. Alors vous allez rester ici, dans cette chambre d'hôtel, qu'elle vous plaise ou non, jusqu'à ce qu'on ait fait la lumière sur toute cette affaire.

LOUP. Justement ! Laissez faire la lumière !

Vent et froid glacial.

2. Examen neurologique

a. QUESTIONNAIRE

AIMÉE. On jouait avec la lumière.

FREEDMAN. Vous avez vu quelqu'un?

AIMÉE. Un soldat de la Première Guerre mondiale. Il a grimpé sur la table, un couteau à la main, et s'est approché de moi.

FREEDMAN. Je vais d'abord vous poser quelques questions. Elles pourront vous paraître simples, je m'en excuse, mais je vous demanderai de me répondre précisément. Je m'appelle Jeremy Freedman et je suis neurologue. Pourriez-vous répéter mon nom et mon métier?

AIMÉE. Jeremy Freedman. Neurologue.

FREEDMAN. Comment vous appelez-vous?

AIMÉE. Aimée Lambert.

FREEDMAN. Quel est le nom de vos parents?

AIMÉE. Marie et Jacques Lambert. Ils sont morts.

FREEDMAN. Étaient-ils vos parents biologiques?

AIMÉE. Adoptifs.

FREEDMAN. Quel jour et quelle date sommes-nous?

AIMÉE. Lundi 17 novembre 1989.

FREEDMAN. Où sommes-nous?

AIMÉE. Hôpital Saint-Luc.

FREEDMAN. Dans quelle ville ?

AIMÉE. Montréal.

FREEDMAN. Oui. Avec le temps qu'on a, on serait mieux sous les tropiques. Tout juste avant votre crise, vous m'avez dit avoir vu un soldat. Ce soldat participait à quelle guerre ?

AIMÉE. La Première Guerre mondiale.

FREEDMAN. Qu'est-ce qui vous le fait croire ?

AIMÉE. J'en sais rien. Je le sais, c'est tout !

FREEDMAN. Est-ce que vous consommez de la drogue ou de l'alcool ?

AIMÉE. De l'alcool à l'occasion.

FREEDMAN. Des antécédents du côté de vos parents biologiques ?

AIMÉE. Elle. Alcoolique. Très. Lui, je ne crois pas. Avant je ne sais pas.

FREEDMAN. Comment s'appellent-ils ?

AIMÉE. Lui. Achille Volant. Un Amérindien micmac. Elle. Luce Davre… Mais ça n'a aucune importance. C'est étrange. J'ai déjà vécu cet interrogatoire !

FREEDMAN. Fixez la lumière. Quelle année sommes-nous ?

AIMÉE. 1917. J'ai déjà vécu ça !

FREEDMAN. Vous avez dit quelle année ?

AIMÉE. 1917.

FREEDMAN. Fixez la lumière clignotante. Je m'appelle Jeremy Freedman, neurologue. Quel est mon nom et mon métier ?

AIMÉE. Lucien Blondel. Lucien ? Déserteur. Lucien ? Lucien ? !

Crise d'épilepsie.

FREEDMAN. Vous venez de faire une nouvelle crise d'épilepsie, partielle celle-ci, que j'ai provoquée par un jeu de lumière. En avez-vous eu conscience ?

AIMÉE. Il y avait encore le soldat de la Première Guerre mondiale. Une bataille. Un corps à corps. Il essayait de tuer quelqu'un.

FREEDMAN. Connaissez-vous quelqu'un qui s'appelle « Lucien Blondel » ?

AIMÉE. Non. Pourquoi ? Qu'est-ce qui se passe ?

FREEDMAN. Je ne peux encore rien vous dire, mais avec les résultats de l'encéphalogramme, du scanner et des tests de sang et d'urine, nous en saurons plus. En attendant, essayez de vous reposer, protégez vos yeux de la lumière. Et ne vous inquiétez pas pour votre enfant.

b. SEIZE ANS PLUS TARD (2)

BAPTISTE. Tu t'es-tu déjà demandé ce que ta mère aurait souhaité ?

LOUP. Elle me l'a dit ce qu'elle souhaitait ! Elle me l'a fait jurer promettre, et j'ai promis juré et à cause de vous je ne tiens pas promesse, je ne tiens pas promesse !

BAPTISTE. Penses-tu que je vis bien avec ça ? Penses-tu que je peux, moi-même, même quatre ans après sa mort, seulement penser espérer un jour me refaire une vie sacrement, tant et aussi longtemps que son corps attendra au fond d'un frigo d'un fond de corridor au fond d'une morgue ?

LOUP. Alors pourquoi on attend ?

BAPTISTE. Parce qu'on veut comprendre ! Moi, je veux comprendre ! Quand quelqu'un meurt, ça ne suffit pas de dire : il est mort ! Tu veux savoir ! Quand tes enfants te demanderont de quoi est morte ta mère, tu leur diras quoi : « Je ne sais pas exactement, elle est morte, elle est morte, *that's it !* » ?

LOUP. Bon ! Ça fait quatre heures qu'on niaise dans c't'hosti d'hôtel de riche à marde ! Je crisse mon camp ! Le prochain scientifique que je rencontre, j'y mets mon poing dans face sacrement !

DOUGLAS DUPONTEL. Vous n'avez pas le choix !

LOUP. Hey, vous le Français là, fuck you, tsé !

25

DOUGLAS DUPONTEL. Si ça peut vous faire plaisir, mais vous n'avez pas le choix.

BAPTISTE. Loup, monsieur Douglas Dupontel veut nous aider. C'est un grand scientifique, un paléontologue réputé…

LOUP. Ouais, pis moi je suis réputée pour être une grosse épaisse !

DOUGLAS DUPONTEL. Loup, je veux simplement vous parler. Je commence à comprendre que personne ne vous a rien dit. Je veux vous expliquer. Pour que vous puissiez décider. En toute connaissance de cause.

LOUP. Je connais toute la cause : ma mère est enceinte de moi, elle a une crise d'épilepsie pendant un repas de fête le jour de la chute du mur de Berlin.

DOUGLAS DUPONTEL. D'après le dossier médical de votre mère, cette fête a eu lieu le 16 novembre 1989, une semaine après la chute du mur de Berlin. Pas le jour même.

LOUP. J'étais pas là pour tchéquer dans le calendrier, j'étais dans son ventre, je viens de vous le dire ! Et que ça fasse une semaine, un jour ou trois mois qu'est-ce que ça change, seize ans plus tard ?

DOUGLAS DUPONTEL. Je veux simplement vous prouver que vous ne connaissez pas tout à fait *tout*.

LOUP. Tant mieux tabarnac !

DOUGLAS DUPONTEL. Vous êtes trop liée à cette histoire pour que je puisse vous croire.

LOUP. Qu'est-ce que vous avez à en crisser, vous ? En quoi, au-delà de l'intérêt scientifique du pantalogue que vous êtes…

DOUGLAS DUPONTEL. Paléontologue.

LOUP. …*Whatever !* Fuck ! En quoi ça vous concerne ?

DOUGLAS DUPONTEL. En tout cas, ça ne concerne pas que vous, ça concerne aussi votre père et la mémoire de votre mère. Vous le savez. Alors vous allez rester ici, dans cette chambre d'hôtel, qu'elle vous plaise ou non, jusqu'à ce qu'on ait fait la lumière sur toute cette affaire.

LOUP. Justement ! Laissez faire la lumière !

DOUGLAS DUPONTEL. Bonne idée. Elle nous montrera les radios de votre mère.

Radiographies à l'écran.

3. Radiographies

a. OS

FREEDMAN. Une tumeur, gliome ou lymphome, infiltre votre cerveau. La radiographie n'indique pas tout mais ce qu'elle montre a les caractéristiques d'une tumeur maligne, d'un cancer déjà très avancé.

BAPTISTE. … Qu'est-ce que ça veut dire… ?

FREEDMAN. Que ça va vous demander du courage à tous les deux.

AIMÉE. Je vais mourir bientôt ?

FREEDMAN. Bientôt, non…

AIMÉE. Combien de temps ?

FREEDMAN. Quinze ans en étant très optimiste.

DOUGLAS DUPONTEL. Voici le cerveau de votre mère vu de haut. D'ici, jusqu'ici, c'est la région atteinte par la lésion.

BAPTISTE. Vous ne pouvez pas extraire la tumeur, l'opérer ?

DOUGLAS DUPONTEL. En temps normal, une tumeur de cet ordre aurait été opérable, mais là c'était du jamais vu.

FREEDMAN. Aimée, vous relevez d'un cas à part, absent de tous les ouvrages que j'ai pu consulter depuis que je pratique mon métier, puisque votre tumeur semble se développer autour d'un objet solide situé au cœur de votre cerveau.

AIMÉE. Quel objet solide ?

FREEDMAN. Difficile à dire. Cela ressemble à un os. Mais il est impossible d'avoir un os de cette taille au centre du cerveau sans présenter de défaillances physiologiques et/ou psychologiques évidentes, graves, ce qui n'est pas votre cas.

DOUGLAS DUPONTEL. Maintenant regardez cette radiographie.

FREEDMAN. Voici votre cerveau vu selon une coupe transversale.

DOUGLAS DUPONTEL. Vous pouvez voir, claire, au centre de la tumeur, la masse de l'os.

FREEDMAN. Il semble que votre système nerveux se soit imbriqué, telles des racines autour d'un caillou, autour de cet os, rendant par là son extraction impossible. L'enlever c'est vous arracher les racines de la vie.

DOUGLAS DUPONTEL. Vous étiez tous les deux dans son corps, Loup… Des jumeaux pourrait-on dire. Lui dans sa tête, vous dans son ventre.

AIMÉE. Je suis enceinte.

FREEDMAN. Je sais. Nous aviserons.

AIMÉE. Quand ça, nous aviserons ?

FREEDMAN. Lorsque nous en saurons un peu plus sur la nature de cet os !

BAPTISTE. Aimée.

DOUGLAS DUPONTEL. Vous étiez déjà liés l'un à l'autre. Toucher l'un, c'était toucher l'autre.

AIMÉE. Ne me touche pas.

FREEDMAN. Le plus urgent consiste à pratiquer une biopsie de ce corps étranger. Pour cela, je vais devoir vous opérer.

Aimée et Loup éclatent en sanglots.
Biopsie.

4. Diagnostic

Bureau de médecin. Fenêtre. Neige.

FREEDMAN. Un corps solide, vidé de sa moelle et sans muscle pour l'articuler, niche bel et bien au cœur de votre cerveau. Il a toutes les caractéristiques d'un os sans être tout à fait un os.

AIMÉE. Alors qu'est-ce que c'est ?

FREEDMAN. Un embryon. Un fœtus.

BAPTISTE. Un enfant ?

FREEDMAN. À un stade extrêmement préliminaire, mais un enfant. Oui.

AIMÉE. Quel enfant ?

FREEDMAN. Votre jumeau. Vous étiez deux dans le ventre de votre mère. Mais vous l'avez intégré à votre propre métabolisme, le forçant à conserver un état embryonnaire. C'est un phénomène relativement fréquent. Le jumeau absorbé se niche, au hasard, dans le corps de son frère qui, sans le savoir, le portera sa vie durant dans la poitrine, le sexe, la colonne vertébrale, le cerveau… En tant que tel, il ne présente aucun danger. C'est la tumeur qui cause les dégâts. Son caractère cancéreux a été confirmé, c'est un gliome, une tumeur infiltrante, très maligne.

BAPTISTE. Qu'est-ce que ça signifie concrètement ?

FREEDMAN. Le Dr Him est cancérologue. Elle sera votre médecin.

HIM. Aimée, Baptiste, que savez-vous sur le cancer ?

BAPTISTE. Rien !

HIM. C'est une maladie ancienne, archaïque, qui a ses racines dans nos gènes. Là, au plus intime de notre être, une succession d'événements liés au hasard, à l'hérédité ou à l'environnement se produisent à notre insu, affectant les normes qui régissent nos cellules. Une cellule est saine lorsqu'elle accepte de mourir. Ce processus de prolifération et de mort cellulaire est soumis à un contrôle génétique très précis. Lorsque ce contrôle est perturbé, certaines cellules deviennent immortelles et se développent, se rajoutant les unes aux autres, jusqu'à la tumeur, jusqu'à dévorer l'organe où elles sont nées : poumon, sein, utérus, cerveau…

AIMÉE. L'enfant ?

HIM. Le cancer ne se transmet pas au fœtus. Mais la brutalité des traitements risque de provoquer un avortement spontané, une prématurité ou un retard mental.

AIMÉE. Si je choisis de le garder…

HIM. Le traitement devra être moins sévère. L'accouchement vous fragilisera. L'enfant, porteur de son propre métabolisme, microbes et infections comprises, sera un danger pour vous. Vous ne pourrez pas même le toucher.

AIMÉE. Et sans chimiothérapie ?

HIM. Votre espérance de vie diminuera tragiquement. Je suis désolée, Aimée, mais le protéger, lui, c'est vous exposer, vous. Vous êtes, je ne vous mentirai pas, en conflit d'intérêts avec votre bébé. Vous devriez envisager l'avortement.

Neige.

5. Des femmes

LOUP. Je sais tout ça !

BAPTISTE. Mais tu ne sais pas tout ! Tu ne sais pas ce qui a décidé de ta vie et ce qui a décidé de sa mort ! Tu ne connais rien de la fraction de seconde de ton existence ! Parce que ce soir-là, en rentrant chez nous, notre décision était prise, mais on avait besoin de la fin de semaine pour avoir la force d'assumer ce qu'on allait avoir à assumer! Je le sais, parce que c'est moi qui a appelé le lundi matin, c'est moi qui l'a pris le criss de téléphone, qui a composé le numéro et tu ne peux pas m'enlever ça, me dire que ce n'était rien, le prendre à la légère en rigolant et en sacrant en disant que le monde des grands, celui de tes parents, est un monde de fous furieux finis! Tu ne peux pas! Il y a des mots que tu n'as pas envie de prononcer jamais pour pas avoir jamais à t'en souvenir! Tu ne peux pas comprendre ça, toi, ce que c'est que d'avoir et la vie et la mort au bout du fil! Je peux te parler du froid de ce lundi matin-là, de la vibration de l'air autour de moi, de la densité du temps, je peux te parler de ma voix et de mon corps au grand complet quand j'ai dit que nous avions pris la décision d'interrompre la grossesse. Après c'est de la mécanique! Il faut tchéquer les dates et en deux jours, passer de la vie à la mort à un agenda *Quo Vadis* pour marquer, entre un chantier de construction et un cours de maçonnerie : Clinique d'avortement !

LOUP. Pourquoi vous avez changé d'avis?! Pourquoi vous m'avez eue d'abord? Pourquoi?

BAPTISTE. Parce qu'en une fraction de seconde, le monde, notre monde a changé. C'est un mouvement trop fort, contre lequel il est impossible de résister ! Aucune maçonnerie ne peut tenir. Aucune volonté, rien ! Le mercredi 6 décembre, après le travail, je suis passé chercher Aimée pour la conduire à sa première séance de radiothérapie.

HIM. La radiothérapie est un traitement à rayons qui mitraille littéralement la tumeur en la bombardant de toutes petites particules lancées à très grande vitesse.

BAPTISTE. Il était un peu plus de 17 h. Il neigeait, je crois.

HIM. Fermez vos yeux.

Radiothérapie.

HIM. Une fois remise de votre avortement, nous commencerons la chimiothérapie. Reposez-vous.

BAPTISTE. Aimée, il faudrait prévenir tes parents.

AIMÉE. Mes parents sont morts !

BAPTISTE. Je parle de Luce et d'Achille.

AIMÉE. Luce et Achille n'existent pas !

BAPTISTE. Achille t'aime.

AIMÉE. Aimer ne suffit pas.

BAPTISTE. Je n'ai pas insisté. L'avortement du lendemain la terrifiait. On était le 6 décembre 1989 vers 6 h du soir, et je l'ai laissée dans le hall d'entrée de l'hôpital pour aller chercher la voiture. Lui éviter le froid. Monsieur Dupontel, savez-vous ce qui s'est passé le 6 décembre 1989 à Montréal,

34

dans la vie de tous ceux qui sont rentrés chez eux ce soir-là ?

DOUGLAS DUPONTEL. Cette date ne me dit rien…

BAPTISTE. Les tragédies de mon pays n'intéressent pas le monde. Elles n'ont pas le prestige d'un mur de Berlin. Et pourtant, elles ont changé nos vies, la mienne du moins et celle de Loup, définitivement. Il suffit d'une radio allumée, vous savez, d'une rumeur pour que tout change et se transforme, la vie, l'existence, la naissance et la mort des gens que l'on aime. De la voiture, à travers les vitres de la porte d'entrée de l'hôpital, j'ai vu Aimée au milieu d'un groupe de gens, la tête levée vers un écran de télévision. On entendait depuis l'extérieur, le silence qui régnait à l'intérieur. Ce sont des choses qui ne trompent pas : j'ai allumé l'autoradio.

Nouvelles.

ANNONCEUR. Bonsoir, mesdames et messieurs. Des scènes épouvantables en fin de journée à l'École polytechnique de Montréal où un tireur fou a tué quatorze personnes et fait treize blessés. Les quatorze personnes tuées sont toutes des femmes. Après avoir semé la terreur sur plusieurs étages de l'édifice, il s'est enlevé la vie. Allons rejoindre Claude Gervais qui est sur place. Claude, il y a eu conférence de presse de la police plus tôt ce soir, qu'est-ce qui est sorti de cette conférence?

REPORTER 1. Écoutez, on va écouter le directeur du poste 13, Monsieur Saint-Laurent, qui va nous expliquer comment ça a commencé. On l'écoute :

POLICIER. Un suspect serait rentré dans un local, où il y avait un cours, et aurait tiré sur des femmes qui assistaient au cours.

ANNONCEUR. Toute cette chose a duré un certain temps, Claude, il paraît qu'on a retrouvé des blessées partout sur les étages.

REPORTER 1. Ça a duré sûrement plusieurs minutes parce qu'après le cours de génie où on a dit aux hommes de sortir et aux femmes de rester, on a tiré sur des femmes, on a retrouvé des cadavres aux trois étages. D'ailleurs on va écouter ce que ma consœur Ruth Loiselle a préparé.

REPORTER 2. En fin d'après-midi à Polytechnique, plusieurs étudiants ont été complètement bouleversés. Ils nous ont dit que le tireur avait demandé aux étudiantes d'aller d'un côté de la classe et aux étudiants de l'autre côté.

TÉMOIN. Là j'ai découvert deux personnes étendues sur le sol, dont l'une avait le visage complètement massacré sur le côté, elle avait reçu une balle dans l'œil, le sang était répandu partout au sol et l'autre personne, elle était encore vivante, c'est ça qui était le plus surprenant, l'autre personne, encore une fille, parce que le type tuait seulement des femmes.

REPORTER 2. Des parents en pleurs complètement bouleversés cherchaient leurs enfants. C'était la dernière journée de cours demain, une période extrêmement tendue pour les étudiants à la veille de leurs examens. Les victimes, elles, sont des jeunes sur lesquelles on fondait beaucoup d'espoir. Ici Ruth Loiselle, à Montréal.

BAPTISTE. Quatorze femmes sont mortes ce jour-là parce qu'elles étaient des femmes.

AIMÉE. Geneviève Bergeron. Hélène Colgan. Nathalie Croteau. Barbara Daigneault. Anne-Marie Edward. Maud Haviernick. Maryse Laganière. Maryse Leclaire. Anne-Marie Lemay. Sonia Pelletier. Michèle Richard. Annie Saint-Arneault. Annie Turcotte. Barbara Klueznik Widajewicz… On n'ira pas à la clinique, Baptiste.

BAPTISTE. Tu n'y es pour rien !

AIMÉE. Je n'en tuerai pas une quinzième.

BAPTISTE. La quinzième, ce sera toi !

AIMÉE. Moi, je peux choisir, pas elle.

BAPTISTE. Et je vais lui dire quoi quand elle sera grande, quand elle me posera des questions, je vais lui raconter quoi comme histoire ? Il était une fois un assassin ? Il était une fois une salle de classe et quatorze femmes étendues par terre ? Que sa vie, elle la doit à un tueur qui a séparé les femmes des hommes pour mieux les descendre ensuite ? Que sans lui elle n'aurait jamais vu le jour ? Je vais lui dire que sa naissance a coupé la vie de sa mère en deux ?

AIMÉE. Tu lui diras que pour le reste de mes jours, ma prière aura été de réciter le nom de ces quatorze femmes et que je ne pouvais pas me résoudre une seconde à rajouter son prénom !

BAPTISTE. Aimée…

AIMÉE. Trop de morts, Baptiste ! Trop, pour un seul corps ! Entre l'enfant que je porte dans ma tête et celui que je porte dans mon ventre, entre ma propre mort et celle de ces quatorze femmes, dans la haine que j'ai de ma mère et l'ignorance que j'ai du monde, il faut bien trouver une joie ! Même si ce n'est que de la tristesse, une joie, pour me donner un souffle, pour que de moi, de tout ça qui est là, qui est Aimée, qu'on appelle Aimée et qu'il a fallu beaucoup aimer, tu en sais quelque chose, il puisse en sortir un éclat, si petit soit-il, qui soit vivant !

DOUGLAS DUPONTEL. Loup, voici le dossier médical de votre mère. Vous y trouverez le suivi de ses traitements ainsi qu'un compte rendu de ses crises d'épilepsie. Tout ce qui concerne «Lucien».

Ce soldat de la Première Guerre mondiale qu'elle n'a pas cessé de voir et qui l'a accompagnée jusqu'à sa mort. Nous allons vous laisser seule. Prenez le temps de le lire. Il y a du chocolat dans le minibar.

6. Césarienne

HIM. Je vous rappelle que vous ne pourrez pas toucher votre enfant, il y va de votre vie. Tout de suite après l'accouchement, on devra vous isoler totalement et vous subirez aussitôt votre première séance de chimiothérapie.

Naissance de Loup.

AIMÉE. Laissez-la moi ! Je veux la toucher !

HIM. Je suis désolée, Aimée.

AIMÉE. Une seconde, s'il vous plaît ! Une seule seconde !

HIM. C'est déjà l'éternité pour vous tuer.

BAPTISTE. Aimée, regarde-la. Elle est belle comme l'horizon. Regarde-la. Elle nous apporte le printemps.

AIMÉE. Le printemps n'y changera rien ! Du gaz ! Du gaz ! Lucien ! Lucien !

BAPTISTE. Aimée ! Donne-lui son nom !

Crise d'épilepsie d'Aimée.

HIM. Ne la touchez pas !

AIMÉE. La jumelle tua son jumeau, le jumeau tuera sa jumelle.
Deux hémisphères de temps, pour autant d'univers inversés.
On t'appellera Loup comme un loup car un loup, il te faudra être : Loup.
Oracle de l'oblique,
Du Dieu qui frappe de loin.

Neige. Aimée dans une cage de vitre.
Chimiothérapie.
Neige. Forêt des Ardennes.
Lucien tue Louis et plonge dans la rivière.

LE SANG DE LÉONIE

7. Zoo

a. TROIS SŒURS

Forêt. Arbres. Maison. Zoo. Trois filles. Chant au loin.

LÉONIE. Vous êtes enfin réveillé. Je suis Léonie. Êtes-vous Edmond, Edmond le girafon ?

JEANNE. Léonie ! Il est beaucoup trop jeune pour être Edmond le girafon.

MARIE. Qui êtes-vous ?

LUCIEN. Je m'appelle Lucien Blondel.

MARIE. Il y a trois jours, on vous a trouvé mort au bord de la rivière.

LÉONIE. C'est moi qui vous ai trouvé.

JEANNE. Vous avez fait des cauchemars.

MARIE. Qu'est-ce que vous êtes venu faire dans ce coin si reculé de la forêt ?

LUCIEN. J'ai fui la guerre…

JEANNE. Quelle guerre ?

LUCIEN. Comment «quelle guerre»? Celle qui gronde là-bas…

JEANNE. Un orage interminable rugit au loin.

LUCIEN. Pas l'orage, mais les tranchées, des hommes qui meurent, qui meurent pour rien par centaines, par milliers, par centaines de milliers des deux côtés du front, Français comme Allemands, et c'est de plus en plus terrible et partout le pays flambe! Vous ne le saviez pas?

JEANNE. Nous sommes nées toutes les trois dans cette maison et nous ne connaissons rien du monde, n'ayant jamais quitté cette forêt. Nous nous occupons des animaux qui sont nés avec nous. Éléphants, girafes, panthère. La nuit, vous les entendrez hurler.

LUCIEN. Un zoo…!

JEANNE. Au cœur de la forêt.

LUCIEN. Un zoo dans la forêt des Ardennes!

JEANNE. Notre père a créé un paradis secret et nous a enfermées dedans avant de disparaître.

LUCIEN. Et vous vivez seules ici?

MARIE. Edmond le girafon, notre oncle, était avec nous. Il est parti un jour en promettant qu'il reviendrait nous chercher, nous et notre mère. Nous l'attendons.

Chant au loin.

LUCIEN. Où est votre mère ?

JEANNE. Elle est morte !

MARIE. Oui. Elle est morte.

LUCIEN. Qui chante ainsi ?

MARIE. Nous attendons le retour d'Edmond le girafon.

LUCIEN. Oubliez Edmond. C'est la guerre ! La forêt des Ardennes pourrait brûler ! La route pour Metz est libre. Vous devriez partir.

JEANNE. Nous ne pouvons pas partir.

LUCIEN. Pourquoi ? *(Silence.)* Pourquoi ?

JEANNE. Vous êtes fatigué, reposez-vous, retrouvez vos forces. Après quoi, vous quitterez cette maison, vous quitterez cette forêt, vous l'oublierez, vous retrouverez votre guerre sans tenter de revenir ici. Ce sera votre manière de nous remercier de vous avoir sauvé la vie.

b. LÉONIE

Lucien dort. Cauchemar. Léonie réveille Lucien.

JEANNE. Léonie ! Un mois déjà que cet homme est arrivé parmi nous et ses cauchemars ressemblent à un mauvais sort jeté sur notre maison. Qu'il s'en aille.

LÉONIE. Il est trop tard. Je suis allée à la fosse et j'ai dit à maman qu'Edmond le girafon était

revenu. Elle m'a crue. Elle a demandé à lui parler.
Je lui ai dit qu'il était épuisé mais qu'il ira aussitôt
remis.

JEANNE. Léonie ! Pourquoi tu as fait ça ?

LÉONIE. Pour pas que vous le chassiez ! Que
diriez-vous à maman à présent ? «Excuse-nous
maman, on s'est trompées, finalement ce n'est
pas Edmond» ?

JEANNE. Nous lui dirons que tu lui as menti.

LÉONIE. Elle en mourra de chagrin ! Tu le sais,
je le sais ! Alors vous allez, vous aussi, lui dire
qu'Edmond est revenu et avec lui le salut, qu'il
a tenu sa promesse envers elle et qu'il ne l'a pas
abandonnée. Edmond ou pas, un homme est là et
saura nous sortir de cette forêt. Et si pour délivrer
notre mère, il nous faut lui mentir, on lui mentira.

MARIE. Il faudra alors tout dire à cet homme, tout
lui raconter !

LÉONIE. Je lui dirai ! Vous pouvez le regarder,
mais si l'une de vous le touche, j'arrête de tuer les
animaux, j'arrête de nourrir la fosse ! Il est à moi.

Temps.

LUCIEN. Pourquoi tuez-vous les animaux du zoo ?

LÉONIE. Pour nourrir les autres animaux.

LUCIEN. Je vous ai vue jeter des quartiers entiers
de viande au fond d'un trou.

LÉONIE. Il ne faut pas poser de questions.

LUCIEN. Je devrais partir. Deux mois déjà que je suis arrivé chez vous.

LÉONIE. Personne ne peut partir et personne ne peut venir. Notre père a condamné les chemins, il y a des années. Il n'y a que la rivière. Votre corps est arrivé porté par le courant, ensanglanté. On a cherché la blessure. Pas de blessure. Ce n'était pas votre sang.

LUCIEN. Si, puisque c'était celui de mon frère.

LÉONIE. Vous l'avez vu mourir?

LUCIEN. C'est moi qui l'ai tué.

LÉONIE. Ce doit être une mauvaise guerre pour laisser un homme tuer son frère.

LUCIEN. Monstrueuse.

LUCIEN. Edmond le girafon… Qui est-il?

LÉONIE. Le frère de ma mère.

LUCIEN. Pourquoi l'appelez-vous Edmond le girafon?

LÉONIE. Notre mère nous a raconté qu'il y a longtemps, lorsqu'il était enfant, Edmond aimait dormir dans l'enclos des girafes. Aujourd'hui, il est celui dont on attend le retour. Parti avant ma naissance, il a promis de revenir nous sortir d'ici. Il s'appelle Edmond. Mais un autre est venu. Il s'appelle Lucien. Quelle différence ? Aucune différence. Vérité ou mensonge, tu es Edmond, tu es Lucien, tu es l'étranger surgissant au milieu de la nuit. Le barbare. Je te regarde dormir depuis deux mois, je te regarde, homme qui dort, comme si je regardais un animal fabuleux, animal de légende. Un homme ! Je n'en avais encore jamais vu un. Je t'ai nettoyé, lavé, je t'ai déshabillé, je t'ai soigné, caressé, mais je n'ai pas osé t'embrasser par peur de te réveiller.

Baiser.

Je ne veux plus que tu te détaches de moi !

LUCIEN. Tes sœurs !

LÉONIE. Laisse-les regarder ! Les animaux ne regardent qu'avec leurs yeux, nous, les humains, nous regardons avec notre folie.

Chant au loin. Jouissance.

Tu entends cette voix ? Elle vient du trou où tu m'as vue jeter des carcasses de viande. C'est une fosse profonde creusée par notre père à la construction du zoo pour y précipiter les animaux trop sauvages. Ce qui nous retient est prisonnier au fond de cette fosse. Lucien, notre mère n'est pas morte.

JEANNE. Elle est morte ! Un jour, par accident, elle est tombée dans la fosse.

LÉONIE. Ce n'est pas un accident et elle n'est pas morte !

JEANNE. Tais-toi Léonie ! Ça ne le regarde pas !

LÉONIE. Ça n'a aucune importance ! Il est notre seule chance ! Vous avez honte de lui dire ? Moi aussi j'ai honte de révéler une vérité immonde à un étranger. Mais c'est justement un étranger. Il ne tremblera pas, lui. Il saura, lui. Il pourra.

JEANNE. Edmond le girafon !

LÉONIE. Jeanne, Edmond le girafon a disparu, emporté par la forêt et par tout ce qui hante la forêt. Si Lucien repart, combien de temps attendrons-nous encore avant de pouvoir enfin quitter cette prison ! Nous rêvons d'une vie nouvelle tous les jours, nous la rêvons jusqu'à la démence jusqu'au désespoir, mais elle ne vient pas et chaque instant nous nous disons «Patience ! Demain, peut-être ! » Alors nous comptons les jours, nous comptons les mois, nous comptons les années, et la vie passe et se perd et s'évanouit avec les ombres de la forêt jour après jour nuit après nuit ! Jeanne, Marie, sauvons notre mère, nous le pouvons. Un guerrier nous est apparu. Sauvons-la et partons ! Fuyons !

MARIE. Léonie a raison. Dis-lui, Jeanne. Dis-lui.

JEANNE. Notre mère n'est pas morte. Un être difforme et monstrueux, né sans parole et sans conscience, vit avec elle au fond de la fosse et nous interdit de l'aider. Sa voix seule est mélodieuse. C'est lui qui chante. Une nuit, nous avons été réveillées par des cris. Il s'est jeté sur notre mère, l'a emportée et, parce qu'il ne pouvait pas fuir par la forêt, il s'est lancé avec elle au fond de la fosse.

LUCIEN. Pourquoi a-t-il fait ça?

JEANNE. Il voulait garder sa mère pour lui tout seul.

LÉONIE. Il n'est pas né de rien cet être inhumain, Lucien. Jeanne et Marie le connaissent depuis sa tendre enfance et moi je le connais depuis la nuit des temps pour avoir partagé avec lui le sein de ma mère. Mon jumeau… Même sang, même chair, mais il a pris la folie sur lui comme j'ai pris la colère.

MARIE. Il te laisserait facilement l'approcher, Léonie! Tu pourrais descendre dans la fosse, tu pourrais le tuer et délivrer notre mère si tu voulais!

LÉONIE. Je ne verserai pas le sang de mon frère. Je tue les animaux du zoo les uns après les autres, je dépèce les bêtes en pleurant et, pour nourrir notre mère, je jette dans la fosse des carcasses de viande. Mais je ne tuerai pas mon jumeau. Je ne verserai pas mon sang. C'est mon sang. Toi, Lucien, tu pourras. Tu as su tuer ton frère. Tu as pu. C'est pour cela que tu es arrivé jusqu'ici. Pour nous aider. Nous sauver en pénétrant au fond de la fosse pour combattre ce monstre, le tuer, et faire remonter notre mère. Alors seulement nous quitterons la forêt et je resterai avec toi.

c. MÈRE ET FILLE (1)

AIMÉE. Loup, quand je serai morte, veille à ce qu'on sorte cet os de ma tête. Vous nous brûlerez l'un séparé de l'autre. Vous n'attendrez pas ! Pas d'études scientifiques, rien ! Promets-le-moi. Loup, promets-le-moi !

LOUP. Je te le promets. Je te le promets, maman, je ne laisserai personne empêcher ça. Je te le promets.

d. LE PRINTEMPS

LUCIEN. Je quitterai le zoo par la rivière. Léonie, chaque nuit, je ferme les yeux et je revois le visage de mon propre frère, alors je ne pourrai pas tuer le tien.

LÉONIE. Je peux te donner tout le courage qu'il faut.

LUCIEN. Deux mois déjà que tu me donnes toute ta tendresse ! Grâce à toi j'ai repris le fil du temps. J'ai réalisé aujourd'hui que nous étions le jour du printemps. 21 mars 1917. Sais-tu ce que c'est qu'une date ? Ce n'est rien et c'est le quotidien en marche, mais c'est mon quotidien et je lui appartiens. Je ne suis pas le guerrier que tu espères.

LÉONIE. Nous resterons alors pour toujours dans cette forêt maudite puisque Edmond ne reviendra jamais et que nous ne saurons pas abandonner notre mère. Lucien, sans toi, je suis perdue !

LUCIEN. Je t'emmènerais au bout du monde si je pouvais, mais je suis trop petit, trop faible, à peine sorti de l'enfance et je crains de ne pas être à la hauteur du feu. Je ne peux pas, Léonie, et ce n'est pas par manque d'amour, au contraire, et c'est ça qui est horrible, mais descendre dans cette fosse, charnier infâme d'un paradis raté, pour affronter les frères monstrueux qui veulent garder leur mère à eux tout seuls, est hors de ma portée. Je n'ai pas ce courage.

LÉONIE. Écoute-moi. La pleine lune est passée et, pour la première fois, le sang n'a pas encore coulé. Je ne te parle pas du sang des animaux ni de celui des hommes là-bas, je te parle de mon sang. Du sang de Léonie. Le mien. Il n'a pas coulé. Lucien, je porte un enfant. Tu vois ? Je peux encore te donner du courage. Moi, ça m'en donne plein. Un enfant. Je ne pensais jamais un jour pouvoir dire un mot pareil. Avec toute la solitude et toute la tristesse qu'il y a ici, qui font pousser les arbres de plus en plus haut et de plus en plus nombreux, je ne pouvais même pas me figurer un instant qu'un jour je ressentirais ce que je ressens. Non, je ne me trompe pas. À force de tuer les animaux, je suis devenue comme les animaux. Et les animaux qui meurent savent qu'ils vont mourir. Et les animaux qui vont naître savent qu'ils vont naître. Nous avons fait l'amour toutes les nuits, tous les jours, tout le temps et sans arrêt comme deux épaves qui, demeurées

50

longtemps sur les plages, rattrapent le temps perdu en fendant les flots. Lucien, depuis ton arrivée, je comprends le mot *envie* et là, tu me le retires ? Te rends-tu compte seulement de ce que nous avons entraperçu ? Un continent, une planète, un monde et nous commencions à peine à vivre et il faudrait renoncer à ça, tout ça qui est là et qui est inouï, pour retrouver la vie d'avant et ne plus te voir ? Renoncer à sentir ton odeur, renoncer à apprendre à faire l'amour avec toi, renoncer à ton corps à peine découvert ? C'est impossible. Tant d'amour entraperçu et soudain retiré ; tant de beauté évanouie, enlevée, raptée. Tu ne peux pas Lucien, tu ne peux pas. Tu pensais fuir la guerre comme moi je pensais fuir la forêt. Tu as fui un charnier pour retrouver un autre charnier. Mais maintenant, Lucien, tu sauras pourquoi tu trembles ! Au moment du combat contre mon frère, tu sauras pourquoi tu mets ta vie en jeu, cela te paraîtra juste et sensé puisque tu auras un enfant dans ta tête. Toi et moi réunis. Ton visage, mon visage dans son visage.

LUCIEN. J'irai dans la fosse. Je tenterai de tuer ton frère et de sauver ta mère. Mais je ferai cela après la naissance de l'enfant car si je meurs, je veux mourir après l'avoir touché, après l'avoir regardé et après avoir senti l'odeur de sa peau.

LÉONIE. Embrasse-moi.

e. MÈRE ET FILLE (2)

LOUP. Maman? Tu as dû être fière de toi en décidant de me mettre au monde. Tu as dû te sentir héroïque, forte, puissante!

AIMÉE. Je ne voulais pas en tuer une quinzième…

LOUP. Bullshit!

AIMÉE. Tu es mon plus beau cadeau, Loup! Je voulais donner la vie…

LOUP. Arrête! Chaque fois que tu me dis ça, tu m'obliges à te dire que je t'ai pris la tienne, et je ne veux plus avoir à vivre avec cette phrase qui pèse sur moi comme une tonne de briques. Je suis trop petite pour vivre avec un fragment pareil dans la tête, tu comprends? Tu comprends ça, maman! Si c'était pour moi, si tu avais pensé une seule seconde à moi, maman, tu n'aurais pas hésité, tu ne m'aurais pas imposé tout ça et tu aurais laissé aller mon âme, tranquille, inconsciente et légère. Tu ne m'as pas donné la vie, tu m'as légué ta douleur comme ta mère Luce t'a légué la sienne. Par lâcheté! Alors arrête de me dire que je suis ton plus beau cadeau même si c'est vrai, je ne veux pas l'entendre, encore moins depuis que ta mort approche; je voudrais tellement ne plus te connaître, maman, ne plus me souvenir de toi, et ce n'est pas par manque d'amour, au contraire, c'est ça qui est horrible!

AIMÉE. Embrasse-moi.

LOUP. Non ! Ni baiser ni merci ! Rien ! Personne ! Surtout pas toi !

f. CHAGRIN

LOUP. Surtout pas elle. Au contraire.

DOUGLAS DUPONTEL. Mais au-delà des remerciements et des baisers, vous ne voulez pas savoir d'où vous venez !

LOUP. Je ne veux pas le savoir !

DOUGLAS DUPONTEL. Et votre cœur ?

LOUP. J'en ai pas, de cœur !

DOUGLAS DUPONTEL. Et votre chagrin !

LOUP. Je n'ai pas de chagrin, je n'ai pas de cœur !!

DOUGLAS DUPONTEL. Vous ne voulez pas savoir d'où il vient, votre chagrin ?

LOUP. Je n'ai pas besoin de ça pour vivre et je n'ai pas de chagrin !

DOUGLAS DUPONTEL. Regardez-moi dans les yeux et redites-moi ça !

LOUP. Vous dire quoi ?

DOUGLAS DUPONTEL. Que vous vivez sans chagrin !

LOUP. Je vis sans chagrin !

DOUGLAS DUPONTEL. Alors pourquoi pleurez-vous ? Pourquoi vous habillez-vous en noir ? Pourquoi tremblez-vous ? Pourquoi êtes-vous si brutale avec moi ? Pourquoi l'adolescente que vous êtes massacre-t-elle ainsi l'enfant qu'elle a été ?

LOUP. Qu'est-ce que vous voulez ?

DOUGLAS DUPONTEL. Aller au bout des recherches concernant l'os qui se trouvait dans le crâne de votre mère !

LOUP. Laissez-moi tranquille !

DOUGLAS DUPONTEL. Non !

LOUP. Pourquoi ?

DOUGLAS DUPONTEL. Parce que moi aussi j'ai un chagrin que vous ne pouvez pas même vous figurer et que, contrairement à vous, je déteste le chagrin alors j'aimerais bien m'en débarrasser ! Parce que moi aussi j'ai fait une promesse, et que, par la plus horrible des coïncidences, il se trouve que vous tenez entre vos mains la clef qui va me permettre de régler un compte personnel avec ma propre vie ! Parce que vous et votre mère êtes entrées dans ma vie et que vous ne me laissez pas le choix ! Et ça ne me fait pas particulièrement plaisir, je vous assure ! Si je pouvais, je serais parti depuis longtemps, croyez-moi, parce que je n'ai aucun intérêt à me faire chier, ici, à 40 sous zéro, en 2006, à essayer de convaincre une adolescente boutonneuse, vulgaire, grossière et sans aucune tenue vestimentaire digne de ce nom, de se pencher un peu sur sa vie !

LOUP. Je suis responsable de ma promesse. Ma mère me l'a fait tenir avant de mourir !

DOUGLAS DUPONTEL. Je sais ! Et si j'insiste auprès de vous c'est justement parce que je comprends l'importance de ce contrat moral que vous avez envers elle ! Je ne le conteste pas ! Et votre mère a bien fait, c'était sa façon, je suis certain, de vous aider à trouver un sens à ce qui n'en a pas : sa mort ; un encouragement, je ne sais pas ! Et vous lui avez fait une promesse, celle de lui donner le repos en brûlant le plus vite possible ce qui l'a tuée et je comprends. Mais réfléchissez ! Votre vie est liée à cet os ! Vous ne pouvez pas le nier. Maintenant il est possible que vous refusiez de me confier ces recherches, parce que vous voulez les confier à quelqu'un d'autre…

LOUP. Comme si j'avais des pantalogues cachés plein mes armoires !

DOUGLAS DUPONTEL. Paléontologue ! Alors pourquoi refusez-vous ? Vous trouvez ça banal ? L'os, les visions liées à Lucien, ce soldat de la Première Guerre mondiale, les crises d'épilepsie, tout ce passé qui remonte sans que nous y comprenions rien, vous trouvez cela normal ?

LOUP. Je ne trouve pas ça normal, je m'en contre-calisse !

DOUGLAS DUPONTEL. Je ne vous crois pas !

LOUP. Ben crissez-moi patience, fuck, d'abord, si vous ne me croyez pas ! Calisse qu'il y a des matins où il vaut mieux ne pas exister, ce qui en soi est compliqué puisque pour ça il faut bien exister ! En attendant, quelque chose est en train de se passer que je ne contrôle pas et ça m'écœure ! Je suis écœurée de rien savoir de moi alors vous allez arrêter de me parler de ma mère, vous allez arrêter de définir ma vie à travers la mort de ma mère sinon mon poing dans la gueule, ça sera pas de la magie noire, je vous le jure.

DOUGLAS DUPONTEL. Attendez. Ne partez pas, Loup. Laissez-moi, avant, vous montrer quelque chose. C'est moi qui vous supplie, ce n'est pas le paléontologue ou ce que vous voulez qui vous le demande… J'ai besoin de vous. Regardez et vous partirez après ! D'accord ?... D'accord ?... *(Douglas ouvre une boîte en bois qui laisse voir un crâne humain.)* Voici un crâne humain. Il a été trouvé en 1946 par un homme, un paléontologue comme moi, dans un grand terrain vague où les nazis brûlaient les corps des juifs. On a brûlé beaucoup de juifs, vous ne le savez peut-être pas, vous êtes jeune et en colère. Attendez ! Cet homme, à l'époque directeur du musée de paléontologie comparée à Paris, s'est vu confier, à la fin de la guerre, avec d'autres scientifiques, la mission de fouiller les sols des camps de concentration pour tenter de sauver les restes des humains qu'on avait assassinés et dont on a voulu effacer jusqu'à la trace même de leurs cendres. Tirer du néant ceux que l'on a voulu y précipiter. Il va y rester un an. Comme un bateau qui, déviant de son axe d'un degré, finit par perdre son chemin, il a dévié de seconde en seconde jusqu'à perdre la notion du temps. Et tout comme le temps s'est fracassé en mille miettes, un jour il a trouvé les fragments éclatés de ce crâne, probablement concassé à coups de marteau. Examiné de près, il s'est avéré être celui d'une femme d'une vingtaine d'années. Il s'est alors promis de le ramener à la surface du monde. Regardez-le bien, Loup. Regardez-le. Des années durant, le paléontologue va tenter de le reconstituer, pièce par pièce, jusqu'à en perdre la raison. Il était marié avec une Américaine, infirmière durant la guerre : Marie Jay McCarthy. Elle lui disait «Étienne, ce que tu tentes de faire est impossible !» Il répondait «Ce qui est arrivé à cette femme, aussi, est impossible.» Elle a fini par le quitter pour retourner dans son pays.

LOUP. C'était votre père ?

DOUGLAS DUPONTEL. C'était mon père oui. Je m'étais promis de ne jamais pleurer en prononçant ce mot. Comme vous voyez, on finit toujours par se trahir. Lorsque ses mains se sont mises à trembler, il m'a demandé de l'aider. J'avais seize ans : votre âge. J'aurais dû fuir, partir en Amérique avec ma mère, mais je suis resté avec lui. Il y a des animaux qui acceptent de se faire dévorer par leur parent. Après des années d'acharnement, le crâne en partie reconstitué, mon père a voulu retrouver le visage, dessinant, à partir des données topographiques, les portraits d'une figure toujours plus belle, plus transparente, mais loin de la réalité car le crâne n'était pas entier. Il manquait un morceau : la mâchoire supérieure. La quête s'arrêtait là. Le jour où il s'est jeté du haut de la fenêtre de son atelier, j'ai mis le crâne dans une boîte et je l'ai rangé. Avant de mourir, il m'a écrit un mot : « Douglas, ne te fie qu'aux coïncidences et retrouve le visage de cette femme, promets-le-moi. » Comme vous j'ai promis. Quel est le lien avec votre mère ? En quoi l'histoire de votre vie va-t-elle m'aider à tenir ma promesse ? Vous avez raison d'être brutale avec moi, Loup, c'est votre clairvoyance qui vous rend violente, car la réponse est violente : l'os qu'il y avait dans la tête de votre mère est, précisément, cet os manquant que mon père a si désespérément cherché toute sa vie. Toutes les analyses le confirment et les résultats de la datation ont scellé son origine.

LOUP. Quoi ?

DOUGLAS DUPONTEL. Les morceaux concordent. Qui est là ? Qui est cette femme qui a sauvé, au-delà du temps et de l'espace, dans un moment inimaginable d'horreur, un fragment d'elle-même, jusqu'à réussir à le faire apparaître au cœur du cerveau de votre propre mère pour ne pas disparaître complètement ? Et pourquoi dans celui de votre mère précisément ? Vous ne voulez pas savoir ? Vous ne voulez vraiment pas savoir, Loup ? Un passé mystérieux nous hurle des réponses. L'entendez-vous ? Il semble nous dire que votre présence ici, dans ce monde, est liée à ce crâne et donc, par le même effet de retournement, le visage de cette femme est caché quelque part dans les replis de votre origine. Qui est-elle, cette femme tirée du néant ? Où et quand est-elle née ? Qui a-t-elle aimé ? Quel lien secret et mystérieux la rattache à votre famille et à votre passé ?

g. DEUX EXTRÉMITÉS

Chambre de Léonie. Soins palliatifs.

BAPTISTE. Aimée. Nous sommes là… Aimée…

AIMÉE. Maman ! Maman !

BAPTISTE. Ton père Achille est venu… Je ne sais pas si elle nous entend, mais si tu veux lui dire quelque chose, Achille, c'est maintenant.

AIMÉE. Maman… Pourquoi ? Pourquoi tu ne m'as pas gardée avec toi ?...

ACHILLE. Aimée… Je regrette. Je regrette sincèrement. Je t'ai abandonnée.

AIMÉE. Tu m'as abandonnée ! Maman ! J'aurais été fière de toi !

JEANNE. Il arrive ! Léonie… Il arrive !

Naissance de Ludivine.

LUCIEN. C'est une fille ! Léonie… C'est une fille !

Crise d'épilepsie d'Aimée.

AIMÉE. Les choses qui sont,

Se punissent et se vengent toujours l'une de l'autre.

La prophétie nous terrasse !

Oracle de l'oblique,

Du Dieu qui frappe de loin.

Aimée meurt.

LUCIEN. Lumière. Lux.

LÉONIE. Mais une lumière divine. Lux et divine. Lux-divine.

LUCIEN. Ludivine. Lucien. Léonie. Ludivine.

DOUGLAS DUPONTEL. Père. Mère et enfant. Et depuis des siècles cela nous bouleverse. Écoutez-moi : je ne cherche pas à définir votre vie à travers la mort de votre mère, au contraire, je cherche à élucider l'énigme qui cadenasse notre existence. Vous et moi.

LOUP. Qu'est-ce que vous voulez faire ?

DOUGLAS DUPONTEL. Rencontrer votre grand-mère, Luce.

LOUP. Pour quoi faire ?

DOUGLAS DUPONTEL. Observer son visage. Dans son visage on trouvera le vôtre et celui de votre mère et si cette femme est liée à votre histoire, alors dans votre visage, le visage de votre mère et celui de Luce, on pourra déchiffrer le sien et résoudre une partie de l'énigme.

8. La fosse

a. PRÉPARATIFS DE LUCIEN

MARIE. Tue-le.

JEANNE. Décime-le. La fosse a une ouverture en entonnoir qui conduit à une cave où les racines des arbres forment de solides barreaux.

LÉONIE. Approche.

Léonie se tranche la veine du poignet. Du sang dans une bassine.

LÉONIE. Mon sang sur ton corps, il en reconnaîtra l'odeur. Il hésitera. Il n'osera pas attaquer tout de suite. Tout comme moi, il ne saurait pas verser le sang jumeau. Mon sang te protégera. Tu appelleras notre mère par son nom : Hélène ! Répète-le.

LUCIEN. Hélène. Léonie, tout cela ressemble à un sursis. Les hommes de ma génération ont été promis, il y a des siècles, pour être la nourriture de la terre. Je ne maudis personne, ce sursis aura donné naissance à un enfant. Ludivine la divine. Enfant improbable à l'image de notre fulgurante rencontre. Coïncidence des coïncidences, hasard des hasards. L'improbabilité de nos amours nous sauvera de la colère déterminée des Dieux.

Lucien descend dans la fosse.

b. ACCÉLÉRATION

Loup au téléphone.

LOUP. Papa c'est moi, c'est Loup. Je voulais juste te dire que je pars. Je ne veux pas que tu t'inquiètes. Je pars. Je vais aller voir Luce. Je ne sais pas comment te dire ça alors je vais te le dire au hasard. Mot par mot et pas à pas jusqu'au dernier. Je vais aller voir Luce. Papa, mon âme a mal aux dents ; vague qui m'emporte de l'intérieur comme des lames de fond, comme des caries impossibles : sensibilité, fragilité, incapacité, peine, peur et colère : tout ça bonbons trop sucrés… Trop d'accélération depuis longtemps me porte pour pouvoir arrêter. Un seul signe de faiblesse et c'est la catastrophe frontale avec une douleur que je ne croyais pas avoir car je me pensais sans cœur. Je me pensais sans cœur papa. Mais quelque chose s'est mis à craquer. Papa, je vais aller rendre visite à Luce. Pour voir. Essayer de colmater. Papa, je déballe des mots sans comprendre ni réfléchir, des mots comme des oiseaux qui rentrent dans la maison et ne trouvent plus la sortie alors ils se cognent partout. Papa ? Qu'est-ce qui me met en pièces donc ? Me dépèce ? Je ne te pose pas la question, je fais juste semblant. Ça fait du bien parfois de faire semblant que l'on va nous répondre et que tout va enfin rentrer dans l'ordre même si rien n'est vrai, même si rien n'est vrai. Je t'embrasse Papa. Je t'embrasse.

LA MÂCHOIRE DE LUCE

9. Achille Volant

Fumoir d'hospice.
Fleuve et lumière glaciale.

ACHILLE. Luce ! Luce ! Luce ! Loup est arrivée !

LUCE. J'écoute la météo !

ANNONCEUR. Aujourd'hui 12 février 2006 les vents atteindront 80 km/h sur toute la vallée du Saint-Laurent. Les températures resteront stationnaires de -23 à -30 à Montréal ; -30 à -35 à Québec ; l'Abitibi et le Saguenay connaîtront un répit avec -18 ; le Bas-Saint-Laurent et la Gaspésie subiront un froid extrême : avec un vent soufflant jusqu'à 120 km/h, les températures descendront jusqu'à -43 degrés. Vous écoutez CBUT. Il est 10 h. Au centre-ville de Matane, il fait actuellement -46.

ACHILLE. Ta grand-mère est heureuse que tu viennes la voir.

LOUP. Je te présente monsieur Douglas Dupontel. Le grand pantalogue…

DOUGLAS DUPONTEL. Paléontologue.

LOUP. Achille Volant, mon grand-père. C'est lui qui veut voir Luce.

ACHILLE. On va s'installer là-bas. On peut voir le fleuve. La lumière d'hiver, ça vous efface tous les malheurs. Ne lui en veux pas ; depuis trente ans qu'elle est dans cette maison de repos, elle n'a pratiquement vu personne. Sa seule activité consiste à venir ici, dans le fumoir, fumer ses cigarettes et écouter la radio. Ne lui en veux pas. Je te regarde et je n'arrive pas à savoir à qui tu ressembles le plus : à ta mère ou à ta grand-mère.

DOUGLAS DUPONTEL. C'est le Saint-Laurent ?

ACHILLE. Son embouchure.

DOUGLAS DUPONTEL. Tout ça qui est là-bas et qui va jusqu'au trait du ciel, c'est le fleuve Saint-Laurent ?

ACHILLE. Ici, en Gaspésie, on appelle fleuve ce qu'ailleurs on appelle océan. Les gens ont le cœur gros par ici. L'espace, ça aide à contenir les peines et les colères. Luce. Vous voulez savoir qui est Luce ? Qui peut savoir ? Luce, c'est autant la pluie que le feu. Un rêve d'eau et une brûlure.

DOUGLAS DUPONTEL. Avez-vous connu ses parents ?

ACHILLE. Si on veut.

DOUGLAS DUPONTEL. Savez-vous à qui elle ressemblait ? Sa mère ou sa grand-mère ?

ACHILLE. Impossible de savoir. Luce ne connaît pas ses vrais parents.

LOUP. Je ne comprends pas !

ACHILLE. Adoption forcée. Luce est arrivée au Québec en avril 1943, pendant la Deuxième Guerre mondiale.

LOUP. Comment ça « elle est arrivée au Québec » ? Elle n'est pas née au Québec ?

ACHILLE. Non.

DOUGLAS DUPONTEL. Luce n'est pas québécoise ?

ACHILLE. Pantoute. C'est un aviateur québécois, qui faisait partie de l'Aviation royale du Canada, Armand Godbout, qui l'a amenée avec lui de France. Son avion avait été abattu par les Allemands et il s'est retrouvé en pleine campagne belge. Un rêveur. Il paraît qu'il a observé la lune cette nuit-là, perdu au beau milieu d'un champ de betteraves. Ça l'a sauvé. Les Allemands l'ont cherché partout dans le bois d'à côté. Il a été pris en charge par un réseau de résistance, qui l'a aidé à passer en Espagne, puis, de l'Espagne, il est revenu au Québec emmenant avec lui ce bébé que quelqu'un lui avait confié. Elle n'avait que quelques mois. Et un nom : Luce Brouillard.

DOUGLAS DUPONTEL. Brouillard vous dites? Comment est-elle devenue Luce Davre?

ACHILLE. Elle vous racontera si elle veut.

LOUP. Comment ça se fait qu'on ne savait pas ça?!

ACHILLE. Personne n'a demandé. J'étais tout seul à chercher.

DOUGLAS DUPONTEL. Vous avez parlé d'un réseau de résistance, quel réseau? Qui lui a remis ce bébé?

ACHILLE. Ça on n'en sait rien. Tout est perdu.

DOUGLAS DUPONTEL. Et cet Armand, il n'a rien dit? Quelqu'un a bien dû lui remettre l'enfant, des papiers, des notes, un nom?

ACHILLE. Pas de papiers, pas de notes, rien. Armand est retourné à la guerre, il a confié Luce à ses parents, Rosaire et Louise Godbout, agriculteurs à Québec et comme tout le monde, il a été tué en juin 1944 sur une des plages de Normandie.

LOUP. Elle savait qu'elle était adoptée?

ACHILLE. Avant de repartir pour la guerre, Armand a dit à ses parents : prenez bien soin d'elle, un jour, sa mère viendra la rechercher. Rosaire et Louise ont cru bien faire en lui disant tout de suite la vérité : «Luce, on t'aime comme notre fille, mais tu n'es pas notre fille, ta mère un jour viendra te chercher; prie la Sainte Vierge pour qu'elle ne tarde pas trop.» Elle a tellement prié, qu'un jour elle a pensé voir la statue de la Vierge bouger.

DOUGLAS DUPONTEL. Est-ce que sa mère est venue la chercher?

ACHILLE. Jamais et c'est bien là le malheur parce que Luce va y passer toute sa vie et sa raison, à l'attendre, à l'espérer, à l'imaginer et à la rêver. Regardez comme la lumière change à cette heure-ci. Quand je lui ai appris la mort de ta mère, elle était assise là. Elle regardait le fleuve. Son visage n'a pas bougé. Le fleuve, seul, sait si elle a pleuré. Un fleuve aussi large est large parce qu'il pleure pour tout un peuple qui lui ne sait plus pleurer.

DOUGLAS DUPONTEL. Et vous?

ACHILLE. Je ne suis qu'une histoire d'amour dans la vie de Luce. J'ai aimé Luce, Luce m'a aimé, on a eu une fille qu'on a appelée Aimée et qu'on a perdue deux fois. Mise en famille d'accueil d'abord, puis mise à la morgue ensuite. Trop de douleur longtemps nous a séparés. Je n'ai fait que colmater les brèches.

Entre Luce.

10. Luce

a. TELLE GRAND-MÈRE, TELLE MÈRE

ACHILLE. Luce ! Regarde qui est là ! C'est Loup ! Notre petite-fille !

LUCE. Tu as enlaidi puis tu as grossi. Tu ressembles à ta mère.

LOUP. Oui, puis toi tu ressembles à ta fille ! Fait qu'on est deux à lui ressembler.

LUCE. Je ne sais pas de quoi tu parles, j'en ai pas de fille.

LOUP. C'est bizarre, parce que moi j'ai pas eu de mère.

LUCE. Tu t'habilles comme le diable.

LOUP. C'est pour faire peur au bon Dieu.

LUCE. Qu'est-ce que tu peux bien connaître au bon Dieu.

LOUP. Tu me prends-tu pour une grosse épaisse ?

LUCE. Épaisse, je ne sais pas trop encore, mais grosse certainement.

LOUP. Hey, qu'est-ce que tu me veux, toi, calisse ?

LUCE. Tu t'énerves aussi facilement que ta mère.

LOUP. Mais je peux fesser plus fort par exemple.

LUCE. Tu es une petite vite, toi.

LOUP. Puis toi une vieille criss !

DOUGLAS DUPONTEL. Loup…

LOUP. Qu'est-ce qu'elle me veut, elle !

LUCE. Comme sa mère !

LOUP. Bon. Douglas, tu lui poses les questions que tu veux, puis on s'en va ! Puis fais ça vite parce que je sens que je vais finir par y casser les deux jambes.

ACHILLE. Luce ! Elle est descendue de Montréal pour venir te voir.

DOUGLAS DUPONTEL. Écoutez, Luce, je crois qu'Achille vous a expliqué pourquoi nous sommes venus.

LUCE. Achille vous a encore raconté des histoires. Il raconte beaucoup trop d'histoires. J'espère que vous ne l'avez pas cru.

DOUGLAS DUPONTEL. Il nous a parlé de vous.

LUCE. C'est une rengaine chez lui.

DOUGLAS DUPONTEL. On voulait simplement vous demander si vous saviez certaines choses sur vos parents ou sur vos grands-parents.

LUCE. Je sais que la nature est bien faite : les parents se mettent à sentir mauvais le jour où il est temps pour les enfants de quitter la maison.

DOUGLAS DUPONTEL. Le nom de votre mère par exemple : vous vous appelez Luce Davre mais vous êtes arrivée sous le nom de Luce Brouillard. Comment êtes-vous passée de Brouillard à Davre ?

LUCE. Je ne vous connais pas. Pourquoi est-ce que je vous donnerais le nom de ma mère ?

DOUGLAS DUPONTEL. Pour Loup, pour Aimée, pour vous.

LUCE. Ça ne vaut pas le nom de ma mère.

LOUP. Bon, on s'en va !

DOUGLAS DUPONTEL. Attendez !

ACHILLE. Loup, si tu pars, tu ne la reverras plus jamais, tu ne lui parleras plus jamais ! C'est ta grand-mère.

LOUP. Ça ne me tente pas pantoute de rester seule avec elle !

DOUGLAS DUPONTEL. Loup, je dois aller à Moncton. Il y a un centre de reconstitution faciale à partir de restes humains non identifiés. Le crâne est déjà chez eux. Demain je devrais avoir une première image de synthèse du visage.

ACHILLE. Je vais vous y amener. Loup, reste avec elle, aime-la, ne cherche pas à la comprendre, fais juste l'aimer.

DOUGLAS DUPONTEL. Je reviendrai vous chercher.

Achille Volant et Douglas Dupontel partent.

b. LUCE ET LOUP

LUCE. Tu restes seule avec moi ? Tu n'as pas peur.

LOUP. Non, je n'ai pas peur. On va parler tricot puis macramé pendant que les gars vont aller boire de la bière puis discuter moteur de char et *game* de hockey.

LUCE. De toute façon, tu es poignée avec moi ; il fait −46 dehors puis ton chum est parti jusqu'à demain.

LOUP. Hey, c'est pas mon chum !

LUCE. Je me disais aussi, il est bien trop beau pour toi.

LOUP. Regarde-moi. Je ne suis pas Aimée. Regarde-moi. Je suis Loup.

LUCE. Je suis Luce. Envoie, *shoot* ! Qu'est-ce que tu veux savoir ?

LOUP. Pourquoi, à l'instant où je t'ai vue, j'ai eu envie de t'arracher la face ?

LUCE. Viens t'asseoir. T'en fais pas, je ne te toucherai pas. Écoute bien. Longtemps j'ai prié. Prié partout. Au pied de mon lit quand j'étais petite, en faisant mes stripteases plus tard quand je dansais nue. Tu enlèves d'abord ta robe et c'est la moitié du *Notre Père* qui y passe, tu montres ton cul et tu arrives au *Je vous salue Marie*. Tu te fais aller un peu, à droite puis à gauche, et du fond de ton cœur tu finis la prière *maintenant et à l'heure de notre mort, amen*. Ta brassière tu l'enlèves pendant que tu commences le *Je crois en Dieu* puis tu gardes ta culotte jusqu'à la fin. À la fin, tu te sens pure. Mouillée, excitée. Lentement, très lentement, tu enlèves ta culotte et c'est le silence. Dans le regard de Dieu. Longtemps j'ai voulu être une sainte. Tu vois, on se ressemble un peu, toi et moi. Tu veux être le diable, j'ai voulu être le bon Dieu et plus j'ai appelé le bon Dieu, plus c'est le diable qui m'entendait, alors fais attention à toi, à force d'appeler le diable, tu feras venir le bon Dieu.

LOUP. Pourquoi tu as abandonné ta fille ?

LUCE. Je ne l'ai pas abandonnée, on me l'a prise.

LOUP. Qui te l'a prise ?

LUCE. Du monde qui sont venus. Ils l'ont prise.

LOUP. Pourquoi ?

LUCE. Si je te le disais tu ne comprendrais pas.

LOUP. Je comprendrais.

LUCE. Alcool. Est-ce que tu comprends quelque chose ?

LOUP. Tu buvais trop, alors on t'a enlevé ta fille.

LUCE. C'est ce que je disais, tu ne comprends pas.

LOUP. Alors explique-moi.

LUCE. Pourquoi tu veux savoir ça ? À quoi ça sert de savoir ça ?

LOUP. J'ai besoin de savoir. Chaque fois qu'on prononçait ton nom à la maison, il y avait une crise d'épilepsie qui nous tombait du plafond avec un «Lucien» et une Première Guerre mondiale au grand complet qu'on ne savait pas quoi faire avec pendant que toi, t'étais là à contempler tranquillement la grande beauté du fleuve ! Alors explique-moi.

LUCE. Pas grand-chose à expliquer, Loup. Quand tu apprends que ta mère a promis un jour de venir te chercher, quand tu apprends une chose pareille et que tu es accrochée à l'enfance, tu te mets à l'attendre, c'est tout ; tu ne vois plus le temps passer, mais le temps passe et tu viens à manquer au temps, comme si tu ne t'occupais plus des secondes ni des minutes ni des heures ni des jours qui passent, tout agrippée à ton attente ; pas grand-chose à comprendre, que le fleuve et sa ligne d'horizon et ses centaines de clochers qui montent vers le ciel parce qu'à perte de vue tu vois les villages aplatis sur la terre et toi, rivée vers l'horizon, vers l'est, là-bas, de l'autre côté de l'océan, parce qu'un jour, on te l'a dit, on te l'a promis, un jour, oui, ta mère viendra te chercher. C'est tout. On te dit de prier, alors tu pries, on te dit de pleurer, alors tu pleures. Tu attends, c'est tout ! Quand on veut te punir, on te dit que ta mère ne viendra plus, quand on veut te faire plaisir, on te dit qu'elle viendra bientôt; quand la prière ne suffit plus, tu fais l'amour une première fois et quand l'amour ne suffit plus tu prends l'ivresse dans le corps; et l'amour et la prière et l'alcool tout ça mis ensemble, tout ça Loup, oui, ça devient l'attente d'un bonheur! Puis, goutte à goutte, tu ne sais plus ce que tu attends, tu vois les morceaux de ta vie effritée et tu ne sais pas ce qui s'est passé, ni quand ça s'est passé.

LOUP. Mais qu'est-ce qui s'est passé? Pourquoi tu n'as pas fait le deuil, pourquoi tout était brisé comme ça? Ma mère est bien née un jour, non? Ça veut dire que tu as bien dû la porter dans ton ventre? Tu as dû faire l'amour pour faire cet enfant? Achille et toi, vous vous êtes aimés? Pourquoi ça ne suffit pas?

LUCE. Quand tu as un grand trou dans le cœur, rien ne peut suffire; c'est comme un panier pas de fond, des choses rentrent et passent; même l'amour passe tout droit et ne suffit pas; alors pour remplir, tu bois. L'alcool c'est comme avoir un amoureux un peu encombrant, mais que tu ne peux pas chasser parce qu'il te baise comme un dieu, tu comprends? Quand j'ai vu que ma mère ne viendrait jamais, je suis tombée enceinte et j'ai eu ta mère; quand on me l'a enlevée, je me suis tranché les veines; quand on m'a sauvée, je suis devenue folle; quand je suis devenue folle, je suis devenue Luce dans toute ma vérité parce que cette folie-là était là dès le départ de mon existence. Ça ne se remplira jamais, ces trous-là.

LOUP. D'où ça vient tout ça ? Cette douleur ? Qu'est-ce qui t'a fait si mal et qui, malgré la beauté de ton visage, Luce, t'a si horriblement déchirée, a déchiré ma mère et continue encore à me déchirer ?

LUCE. Quand l'enfance touche à la nuit des temps, elle reste pour toujours dans le noir et tous les enfants ont peur dans le noir. Et moi, Loup, la nuit des temps, je l'ai touchée à l'âge de douze ans. La beauté d'un visage ! J'ai froid. Viens, on va se rapprocher du feu. Chauffe-toi les mains. Je te raconte. J'avais douze ans, j'ai trop mangé de bonbons et j'ai fini par avoir deux caries aux dents. Rosaire et Louise ont voulu bien faire. Je ne leur en veux pas. Arracher les dents cariées, ça coûte moins cher que les soigner et tant qu'à faire, puisque j'aimais tant les bonbons, ils ont demandé au dentiste de tout arracher.

LOUP. Qu'est-ce que tu veux dire ?

LUCE. Arracher toutes les dents. D'une *shotte*. Régler la question une bonne fois pour toutes. Dans un pays où on parle si peu, pas besoin de dents ! Tu as déjà avalé de la braise ?

LOUP. Non !

LUCE. Tu as déjà pris un tison rougi pour te le rentrer au fond de ta gorge ?

LOUP. Non !

LUCE. Moi, oui.

On arrache les dents de Luce.

Me trouves-tu toujours aussi belle, Loup ? Comment aimer quand à chaque baiser tu trembles parce que la jeunesse de tes douze ans, en une seconde, a pris les traits de la vieillesse de tes soixante-dix ans ? Aimer un garçon, tomber amoureuse de lui, le serrer dans tes bras et devoir, le soir venu, lui avouer ta blessure, toute ta blessure ouverte vers le ciel parce que trop tournée vers l'enfance ? Plus de bouche même pour crier, plus de bouche pour embrasser, pour parler, pour rire, pour rien.

LOUP. Pardon ! Pardon !

LUCE. Ne me touche pas. Pas encore, pas encore. Longtemps je me suis dit que ma mère n'aurait jamais laissé faire ça. Pourquoi est-ce qu'elle n'est pas venue ?

LOUP. Pourquoi ?

LUCE. Pourquoi ceux qui veulent nous sauver, nous perdent, et ceux qui ont voulu nous perdre, finissent toujours par nous sauver : quand Rosaire Godbout s'est retrouvé sur son lit de mort, il m'a fait venir et m'a révélé le nom de ma mère pour, peut-être, se faire pardonner de m'avoir fait arracher les dents.

LOUP. Il le connaissait ?

LUCE. Armand le leur avait dit.

78

LOUP. Pourquoi ils ont attendu avant de te le dire, alors ?

LUCE. Louise et Rosaire avaient peur de me perdre ; ils avaient déjà perdu leur fils à la guerre et ils n'avaient pas de fille ; je ne leur en veux pas, je les comprends, on a tous besoin de quelque chose à aimer : un chien, un chat, une peluche, n'importe quoi. Moi, j'ai eu un nom ; je l'ai attrapé et je ne l'ai plus jamais lâché et je l'ai aimé de tout mon cœur. Un nom de l'autre monde, nom de fée. Ludivine.

LOUP. Ludivine ?

LUCE. Ludivine Brouillard comme si quelqu'un allumait la lumière. Je n'avais qu'à prononcer son nom pour savoir qui j'étais. La fille de Ludivine. Ludivine. C'est si beau à prononcer, comme un papillon qui naît sur tes lèvres. Un matin, je me suis réveillée dans un motel, couchée dans un lit et au-dessus de ma tête, un visage de femme penché sur moi qui me souriait.

LOUP. Ta mère ! C'était ta mère !

c. PHOTOGRAPHIE

SARAH. Luce ! Luce !

LUCE. Qui êtes-vous ?

SARAH. Je vous ai cherchée partout depuis des années et j'ai fini, hier, par vous trouver. Je vous ai vue boire et danser et pleurer et vomir et vous évanouir. Je vous ai amenée ici, je vous ai nettoyée, lavée, je vous ai déshabillée, je vous ai soignée, mais je n'ai pas osé vous prendre dans mes bras par peur de vous réveiller. J'ai bien connu Ludivine. J'étais avec elle lorsque l'on vous a remise à l'aviateur car votre vie était en danger. Il a fallu vous arracher à votre mère. Vous voulez voir son visage ? Voici une photo du réseau de résistance auquel on appartenait. Le réseau Cigogne. Ludivine est là. Je suis à ses côtés. L'homme qui est là, c'était votre père. Il s'appelait Samuel. Il a été arrêté, déporté et assassiné comme tous ceux qui se trouvent sur cette photo. La photo a été prise alors que votre mère était enceinte de vous. Vous étiez avec nous.

LUCE. Pourquoi est-ce qu'elle n'est pas revenue me chercher ?

SARAH. Elle n'a pas pu.

LUCE. Pourquoi elle n'a pas pu ? Qu'est-ce qui est arrivé à Ludivine ?

SARAH. Votre mère n'est pas… Ludivine… a été arrêtée et tuée la tête fracassée à coups de marteaux dans le camp de concentration de Treblinka en mai 1944 et depuis sa mort, je me sens coupée d'une partie de moi car Ludivine était ma meilleure amie. Je vous retrouve car par ici tout le monde vous appelle « la fille de Ludivine » et Ludivine serait bouleversée de voir combien vous la portez dans votre cœur, combien vous lui êtes restée fidèle. Elle vous mérite et vous la méritez et je voudrais tant vous apporter une consolation, mais je ne peux rien vous dire d'autre que son nom. Ludivine Brouillard s'appelait Ludivine Davre. Gardez cette photo, Luce. Elle est à vous.

LUCE. Garde cette photo, Loup, elle est à toi. Vous ne m'avez pas dit votre nom…

SARAH. Sarah Cohen et un jour, Ludivine a sacrifié sa vie pour sauver la mienne.

LUCE. Je ne l'ai plus jamais revue. Depuis ce jour-là, je regarde cette photo et un détail m'échappe comme si quelque chose ne tournait toujours pas rond dans cette histoire, même si on peut dire, toi et moi : «Ludivine, Luce, Aimée, Loup.»

LOUP. Ludivine, Luce, Aimée, Loup.

LUCE. Autant de douleur imbriquée, pour autant de questions sans réponses ! Comme si nous étions, toutes les quatre, liées à quelqu'un d'autre, quelqu'un qui tente de nous appeler non pas du passé mais des ténèbres et son cri, pour attirer notre attention, a pris des formes terrifiantes : le crâne de Ludivine, ma mâchoire arrachée, et le cerveau de ta mère. Aujourd'hui, il s'adresse à toi et tu n'as pas le choix : tu dois casser le fil de nos enfances concassées ou il te fracassera le cœur. Ludivine n'est pas la réponse, mais la clef d'une porte qui te conduira au fond du gouffre. Loup, il te faudra être un loup et loup jusqu'au bout. Loup la noire tu surgis dans ma vie comme une foudre au milieu d'un ciel bleu ; tu es celle par qui la parole arrive, alors entre dans les ténèbres et tire-nous du néant. Promets-le-moi.

LOUP. Je te le promets.

LUCE. Loup, regarde-moi, je suis Luce.

LOUP. Je sais.

LUCE. Embrasse-moi.

Loup embrasse Luce.

LE VENTRE D'ODETTE

11. Père et fils

a. APÉRITIF

ALEXANDRE. Nous voici donc forcés de choisir entre notre cœur et notre raison, forcés de sacrifier l'un au profit de l'autre ; or, ce sacrifice a été décidé en accord avec votre mère : nous resterons ici. Nous choisissons la terre et nous perdrons notre nationalité. Cette décision, due à la défaite de notre pays, prend en considération, avant toute chose, votre avenir et votre bien, pour que vous puissiez conserver nos assises et les léguer, à votre tour, à vos enfants et vos enfants à leurs petits-enfants. Après réflexion, il est apparu évident qu'il ne fallait succomber à aucune émotivité ni sentimentalité, évident qu'il nous fallait privilégier nos avoirs, évident qu'il ne fallait sous aucun prétexte abandonner notre maison. Ainsi, malgré les pressions, nous nous battrons contre ceux qui seraient trop heureux de nous voir abandonner nos biens ; à ceux-là, nous ferons savoir que nous n'abdiquerons pas notre terre et que nous ne nous départirons pas de tout ce que nous avons si âprement bâti. Nous ne quitterons pas Strasbourg. Nous conserverons nos mines de fer, nous conserverons la direction générale de toutes nos usines et Keller, le nom de notre famille, restera gravé sur chaque machine à vapeur, sur chaque wagon et sur chacun des rails qui forment l'ensemble du réseau du chemin de fer de l'est du continent. Au cours de mon séjour à Berlin, où j'avais rendez-vous avec les autorités, j'ai fait savoir que l'on ne quittera pas le territoire alsacien et que, par conséquent, la famille Keller renonce définitivement à la nationalité française. Nous deviendrons de ce fait, dès le mois de septembre 1872, dans un peu plus d'un an, sujets de l'empire allemand. Changer de nationalité ne signifie pas changer d'identité. Cette décision a été accueillie avec joie par les autorités allemandes qui nous ont promis toutes les facilités pour le transfert administratif de nos affaires. Aussi, pour marquer cette future collaboration, l'empire nous a fait présent de cette merveille.

Gramophone. Musique et champagne.

Vive l'Allemagne !

TOUS. Vive l'Allemagne !

ALEXANDRE. Albert, vive l'Allemagne !

b. REGISTRE

Archives régionales.

ARCHIVISTE. J'ai le dossier de Ludivine. Elle est née de parents inconnus et elle est arrivée à l'orphelinat de Nancy en 1918, année de sa naissance, et elle en est sortie à l'âge de douze ans, en 1930, lorsque monsieur Louis Davre, ingénieur agronome, habitant la ville de Metz, et sa femme Rose, l'ont adoptée. Elle a gardé son prénom et a pris le nom de son père adoptif pour s'appeler donc Ludivine Davre. Si vous voulez regarder. Je vais aller voir si je peux trouver autre chose.

c. DESSERT

ALEXANDRE. Eh bien, Albert, qu'y a-t-il?

ALBERT. Eh bien, père, qu'y a-t-il?

ALEXANDRE. Tout cela ne semble pas vous réjouir. Les Allemands pourtant ont tout pour vous plaire. Ils sont idéalistes, rêveurs pratiques et efficaces.

ALBERT. Et qu'ont-ils dit vos Allemands efficaces, lorsque vous leur avez appris que nos mines et nos usines emploient plus de cinq mille enfants sous-payés dont la moyenne d'âge est estimée à dix ans?

ALEXANDRE. Ils se sont montrés courtois et compréhensifs. Ainsi, en ce qui concerne leur nouvelle loi sociale telle l'école obligatoire pour tous les enfants, on nous a assurés que nous n'aurions, pour les dix prochaines années, c'est-à-dire jusqu'en 1882 inclusivement, rien à craindre, et que nous pourrons employer tous les enfants âgés de plus de dix ans dans nos mines et nos usines. Quant au code allemand du travail et des professions qui autorise l'organisation syndicale, ils nous permettent, pour la même période, d'en interdire tout mouvement.

ALBERT. Rien ne changera donc ni pour les enfants ni pour les dizaines de milliers d'animaux que l'on tue à force de harassement chaque année ?

ALEXANDRE. De quels animaux parlez-vous ?

ALBERT. Ceux qui meurent au fond de vos mines : chevaux, mulets, ânes et chiens, les bêtes que vous m'avez engagé à soigner, mon père. Je suis vétérinaire, rappelez-vous, au sein de vos usines et de vos mines.

ALEXANDRE. Les animaux sont là pour que nous en fassions usage ! Et c'est pour nous permettre d'en faire usage le plus longtemps possible que je vous ai engagé. Pas pour les sauver. Albert, vous êtes mon fils aîné et vous serez appelé à prendre ma suite. Vous devez donc apprendre à raisonner en mettant vos sentiments et vos émotions en retrait. Vous devez comprendre comment fonctionne le monde tel qu'il se construit en cette période historique. Demain, grâce aux hommes tels que moi, les hommes tels que vous travailleront et auront une vie meilleure. Les animaux y passeraient jusqu'au dernier, je ne tremblerais pas !

Qu'une génération d'enfants soit sacrifiée n'a pas d'importance lorsque l'on regarde à hauteur d'univers, de siècle, à hauteur de civilisation.

MATHILDE. Albert, écoutez la voix de votre père.

ALBERT. Mathilde, vous n'êtes pas ma mère, pas même une ombre dans ma vie, simplement la seconde femme de mon père. Je n'ai aucun respect pour vous, je n'ai aucune amitié, aucune considération, aucune tendresse et je vous conseillerai de vous tenir à l'écart du chemin qui me sépare de mon père. En vérité, vous me voyez bouleversé aujourd'hui. Bouleversé. Jamais je n'aurais pu me croire capable d'une telle violence. Capable de *cela* qui casse tout. Ce bouleversement était là depuis cette nuit étrange où ma mère est morte. Je me souviens de la machine humaine qui en a suivi. Implacable machine que votre patience à vouloir faire de moi un homme qui vous ressemble et de ma panique à voir comment, de jour en jour, j'échouais dans ma tentative de vous plaire. Tout fils veut être à la hauteur de son père, mais certains pères grimpent vers des hauteurs insoupçonnées par peur d'être rejoints tout en continuant, cependant, à exiger de l'être. Non. Je ne me savais pas doué d'une telle colère et voici que, soudain, cette colère s'est emparée de moi comme la tempête s'empare des navires et elle a transformé ma vie pour, sans doute, décimer la vôtre. De quoi s'agit-il? Comment vous le dire sans que vous m'écrasiez? Comment vous dire que je mets en mille morceaux vos espoirs en moi, en mille morceaux votre nom, votre honneur, votre réputation ou n'importe quoi d'autre que l'on appelle les conventions ou habitudes, sans disparaître, sans cesser d'exister ? Comment vous annoncer que ce matin je me suis marié contre votre volonté ? Je me suis marié, mon père, et me mariant je me libère de vous ; aussi, en vertu de ce mariage, je récupère, tel qu'il est inscrit dans le testament de ma défunte mère, la moitié de sa fortune ainsi que la moitié des profits que vos usines et vos mines ont réalisés depuis son décès. Je me suis marié et je vous présente ma femme. Odette Keller, née Garine.

ALEXANDRE. Qui ?!

Entre Odette.

ALBERT. Elle porte un enfant, fruit d'un viol perpétré au fond de la mine du gouffre au Loup par un homme qui l'a laissée pour morte. Cet enfant deviendra le mien.

ALEXANDRE. Sortez cette femme d'ici.

ALBERT. Vous la touchez, je vous tue comme vous avez tué ma mère, la poussant à la folie, à la dépression et au suicide. Je ne crois pas à ce monde que vous tentez de construire, où le plus fort ne protège pas le plus faible, mais le dévore. À ce monde-là, je prédis la ruine et le désastre.

ALEXANDRE. Parce que tu crois que ton monde sera meilleur ? Il est perdu avant de naître et crois-moi, je sais ce que je dis ! Je sais ce que je dis ! Albert, Albert, ne fais pas cela ! Renvoie cette femme ! Albert, cette femme n'est pas pour toi. N'importe laquelle mais pas celle-ci ! Je t'en prie ! Elle mettra la ruine au cœur de ta maison ! Albert, fais ce que je te dis ! Écoute-moi. Tu te fais des illusions ! Écoute-moi ou bien la réalité te tranchera la gorge et son couteau sera précisément cette femme. Alors, je te le prédis à mon tour, tu verras tes enfants te dévorer car ils ne feront plus la différence entre ta chair et celle des animaux.

ALBERT. Je vous entends, mais il est trop tard. Vous n'êtes plus mon père ! Je vous arrache en hurlant de mon cœur d'enfant, de mon gros cœur de poulpe qui toujours saignait pour vous plaire ! Je pars et j'emporte ma mémoire et ma part de bonheur. Je ne vous aime pas, mais vous resterez toujours au centre de ma vie.

Albert et Odette sortent.

ALEXANDRE. Albert ! Albert !

d. METZ

ARCHIVISTE. Une lettre l'accompagnait lorsqu'elle fut abandonnée à l'orphelinat. Cela disait : « Je m'appelle Ludivine, remettez-moi à Edmond le girafon, fils d'Albert Keller, lui-même fils d'Alexandre Keller. »

DOUGLAS DUPONTEL. Keller…

ARCHIVISTE. C'est un nom typiquement alsacien.

DOUGLAS DUPONTEL. Est-il possible d'avoir la liste de tous les Alexandre Keller ayant eu un fils du nom d'Albert Keller ayant lui-même eu un fils du nom d'Edmond Keller durant la période allant de 1870 à 1900 ?

ARCHIVISTE. Je vais voir ce que je peux faire.

LOUP. Qu'est-ce qu'on fait maintenant ?

DOUGLAS DUPONTEL. Nous allons quitter Nancy et aller à Metz.

LOUP. Vous voulez aller à la messe !

DOUGLAS DUPONTEL. Non ! Pas la messe… à Metz ! La ville de Metz ! Ludivine a dû y vivre une partie de son enfance avec Louis et Rose Davre, ses parents adoptifs. On va essayer d'en savoir un peu plus sur eux. Venez.

12. Passion

Pluie dehors.
Alexandre et Odette. Long baiser.

ODETTE. Alexandre, chaque matin depuis cinq mois, en me réveillant, les yeux toujours fermés, encore protégée par la chaleur du lit, je te cherche : j'interroge toutes les parties de mon corps pour savoir si tu es là. Au début je ne te trouve pas, et puis, minute après minute, tu apparais et mon corps se met à pleurer. Je ne pensais pas que je souffrirais.

ALEXANDRE. Odette, arrête ! Tu as fait croire à Albert que tu as été violée au fond de la mine ! que tu as été violée !?

ODETTE. Que voulais-tu que je lui raconte ! Que je porte dans mon ventre l'enfant de son père ?

ALEXANDRE. Tu te venges de façon monstrueuse !

ODETTE. Et toi, tu es en train de dire non à la vie !

ALEXANDRE. Odette, écoute-moi. Ce n'est pas seulement une question de rang, de statut social, de classe. C'est aussi une question de sentiment. Je ne peux pas. Je n'ai pas vingt ans. À vingt ans, j'aurais pu être à la hauteur de la folie. Mais aujourd'hui, non. Odette, je te jure, j'aurais voulu avoir ton courage et jeter ma vie en lambeaux à tes pieds, mais même les lambeaux m'échappent.

ODETTE. Je t'aime, Alexandre, tu m'aimes, Alexandre !

ALEXANDRE. Oui, je t'aime Odette tu m'aimes Odette, c'est vrai, mais essaie de comprendre !

ODETTE. Justement, il ne faut pas comprendre !

ALEXANDRE. Odette, écoute-moi. Je sais que ça, ce qui est là, cette chose inimaginable que l'on appelle l'amour qui emporte tout sur son passage et qu'en effet il ne faut pas comprendre, se tient debout devant moi et c'est magnifique et terrifiant à la fois. Magnifique parce que c'est enfin toi et terrifiant parce que ce n'est pas possible ! Comme la corde de l'arc qui se tend et se détend en même temps, ce n'est pas possible ! comme un oiseau migrant à la fois vers le nord et vers le sud, ce n'est pas possible !

ODETTE. Arrête !

ALEXANDRE. Tu te souviens combien j'ai tremblé quand tu m'as embrassé ? Tu te souviens ? Et c'était comme des vagues, tantôt joyeuses, aussitôt obscures, dans un aller-retour, flux et reflux, entre joie et peine et frayeur, tout cela toujours à la fine pointe de la lame, acérée, tranchante, s'enfonçant toujours plus loin, plus profondément, plus flamboyante et plus cruelle, plus magnifique et plus horrible au fond de toute mon existence. Tout faire éclater et redevenir l'Alexandre de l'enfance, sans fortune mais la lumière sur ses épaules ! Te prendre dans mes bras et vouloir m'évanouir en même temps. Ne pas oublier et puis vraiment souhaiter mourir, ta peau, ton odeur, la façon que tu as de me regarder et de gémir et jouir tout en même temps et tout cela qui est toi. Ce toi dont tu as parlé me disant « c'est toi que j'aime ». Ce toi qui me souriais et du coup, devant l'impossibilité de tout cela, je prenais des années-lumière de chagrin, toujours lui, au sommet de ma vie, détrônant tout courage au présent.

ODETTE. Alexandre, je ne suis pas le chagrin !

ALEXANDRE. Ce n'est pas possible ! On fera quoi ? On deviendra quoi ? On se verra et alors quoi ? On s'embrassera et encore on fera l'amour et, sans arrêt, on se prendra dans les bras l'un de l'autre pour étancher notre soif moi de toi, toi de moi ? Tout cela en se cachant ? comme amant et amante, menant double vie vers une banalité qui nous portera, je le sais, au dégoût de nous-mêmes, au malheur d'un mensonge qui deviendra insupportable ?

ODETTE. Quitte ta femme !

ALEXANDRE. Écoute, restons un don l'un pour l'autre, ne gâche pas tout ! Écoute : je t'ai rencontrée dans le bouleversement et c'est peut-être là le malheur car ce sentiment est devenu mon oxygène…

Albert au loin appelle Odette.

Fais ce que tu veux, Odette, mais je te demande une chose : épargne Albert. Laisse-le, prends notre enfant et pars et va-t'en et je te ferai vivre, de loin, je te le promets, tu ne seras pas dans le besoin. Je te le promets.

Albert au loin appelle Odette.

ODETTE. Je veux tout, tout de suite, Alexandre, et que ça soit beau, et grand et magnifique et bouleversant. Ou alors rien, c'est-à-dire rien, tu comprends ? Je ne t'épargnerai pas. Tu refuses notre enfant que je porte dans mon ventre, alors je te prends ton fils.

ALEXANDRE. Ne lui dis jamais, ne lui dis rien, promets-le-moi, promets-le-moi !

Albert au loin appelle Odette.

ODETTE. Je te le promets.

Entre Albert.

ALBERT. Que faites-vous ici ?

ALEXANDRE. Votre femme a refusé de me faire entrer chez vous.

ALBERT. Que voulez-vous ?

ALEXANDRE. Je suis venu pour vous dire adieu. Vous nous quittez demain pour Metz. Je voulais vous laisser un souvenir. Ce manteau m'avait été offert par votre mère, Albert. Je voulais vous l'offrir pour vos noces. Puisque vous vous êtes mariés. Ainsi, vous emporterez avec vous un objet qui vous rappellera à la fois votre mère et votre père.

ALBERT. Partez.

ALEXANDRE. Albert ! Vous prendrez bien soin de vos enfants.

ALBERT. Partez !

Odette et Albert sortent.
Un téléphone portable sonne.
Baptiste répond.

13. Longue distance

BAPTISTE. Allô ?

LOUP. Papa, c'est Loup. Comment vas-tu ?

BAPTISTE. Je vais bien. Et toi, Loup ?

LOUP. Je ne sais pas. Ici, c'est presque le printemps.

BAPTISTE. Nous, on est en pleine tempête de verglas. T'es où ?

LOUP. On est dans la ville de Metz.

BAPTISTE. Les gens sont gentils là-bas ?

LOUP. Ben… c'est des Français, tsé.

BAPTISTE. Ils te comprennent quand tu parles ?

LOUP. Faut que j'articule. Papa, on va pouvoir bientôt enterrer maman, je voulais te le dire. Je voulais entendre ta voix. Papa, je voulais te dire que je t'aimais. J'ai pensé à ça tout à l'heure dans le train. Dire à mon père que je l'aime. Fait que c'est ça. J'avoue, c'est plus facile de te dire ça quand il y a un océan qui nous sépare mais bon. Je voulais te dire de ne pas t'inquiéter. Douglas pense que bientôt on saura tout sur Ludivine et qu'on pourra rentrer. Au revoir, Papa.

Loup raccroche. Baptiste raccroche.

LOUP. Fuck! Fuck fuck fuck fuck fuck fuck, fuck!!

14. Edmond le girafon

Edmond le girafon et Ludivine.

LUDIVINE. Edmond. Edmond le girafon? … Je suis Ludivine.

EDMOND. Nul oiseau aux confins
　　　　Nul nombre au rhizome des mains.

LUDIVINE. Je n'ai pas pu venir plus tôt. Depuis que la France est occupée, plus rien n'est simple et les Allemands se méfient de tout. Je vous ai cherché partout et à présent je vous trouve au fond de cet asile de fous. Mais vous n'êtes pas fou.

EDMOND. C'est fini, fini les lendemains
　　　　Et jette ton cœur aux orties des chemins.
　　　　Jette ton cœur, il n'est bon à rien.

LUDIVINE. Edmond, êtes-vous bien Edmond le girafon ? Ludivine, cela ne vous dit rien ?

EDMOND. La brume vous troue au parterre des animaux.

LUDIVINE. « La brume vous troue au parterre des animaux ! » Nous sommes liés l'un à l'autre sans en connaître la raison. Quelle clé sommes-nous l'un pour l'autre ? Edmond. Répondez-moi.

EDMOND. Quelle heure est-il ?

LUDIVINE. Bientôt midi.

EDMOND. Alors les cloches de la cathédrale vont bientôt sonner.
Là-bas flotte un vent qui fait faire flac flac
Aux drapeaux du grand soir.

LUDIVINE. Edmond. Ceux qui m'ont déposée à l'orphelinat de Nancy quelques jours après ma naissance ont laissé une lettre : « Je m'appelle Ludivine, remettez-moi à Edmond le girafon, fils d'Albert Keller, lui-même fils d'Alexandre Keller. » Albert Keller et Alexandre Keller sont morts et enterrés depuis longtemps. Il ne reste que vous. Êtes-vous mon père ? Êtes-vous mon frère ? Je suis Ludivine, êtes-vous Edmond ?

EDMOND. Depuis si longtemps il y a un bégaiement à l'aube de ma fenêtre.
Il pleut en cataractes au voile fin du jour

Le monde qui m'aimait.
Où est-il le tigre savamment libre
Et la girafe qui m'aimait ?
Elle venait à l'entournure de mes
yeux
Lécher chaque instant de mon futur.
Et la panthère que j'aimais tant
Et la voix des gibbons
Et tous ces oiseaux qui m'aimaient ?

15. Le ventre d'Odette

Odette, à grands coups de marteau, tente de se faire avorter.
Albert entre.

ALBERT. Odette ! Odette !

ODETTE. Albert, le médecin aujourd'hui m'a dit que j'attendais des jumeaux.

ALBERT. Des jumeaux !

ODETTE. Je me sens tellement sale, Albert !

ALBERT. Fais confiance au silence, Odette, fais confiance au temps, ce viol tu l'oublieras, le visage de l'homme qui t'a fait ça, tu l'oublieras.

ODETTE. Tais-toi.

ALBERT. Nous allons quitter l'Alsace, Odette, et nous resterons Français. Nous resterons libres !

Nous allons nous exiler, mais notre exil, je te le promets, sera source d'un monde nouveau que nous bâtirons ensemble. Écoute mon rêve, laisse-le te consoler. Avec la fortune immense que j'hérite de ma mère, je vais acquérir une terre, isolée de tout, loin de la suspicion des hommes et de leur perversité ; une terre avec des arbres partout, une rivière, un monde vierge et secret, un paradis, je t'assure, un éden enfoncé profondément au cœur de la forêt des Ardennes. Là, nous construirons une magnifique maison et nous ferons venir, de par le monde, les animaux les plus fabuleux, les plus splendides, les plus sauvages et nous en ferons nos compagnons de jeu. Là, nous aurons encore d'autres enfants et les animaux, à leur tour, mettront bas et nos enfants et les enfants des animaux vivront ensemble, au jour le jour, une existence nouvelle. Ainsi, de génération humaine en génération animale, peu à peu, naîtra un monde où les animaux et les humains vivront côte à côte sans que l'un apprivoise l'autre ni que l'autre menace l'un. Cela, ce retour fabuleux vers les origines de la bonté, je le sais, j'en suis convaincu, saura nous arracher à la violence du monde d'aujourd'hui qui broie chacun d'entre nous. Or, ce monde que je perçois, Odette, commence dans ton ventre. Tu en seras la matrice magnifique, et de ce viol que tu as subi, nous ferons naître une histoire d'amour. *(Des cloches carillonnent.)* Écoute. Les cloches de la cathédrale. Elles sonnent comme le signe d'une vie future qui sera belle, légère et splendide.

Un téléphone sonne à l'hospice à Matane.
Luce répond.

LOUP. Luce, c'est moi, c'est Loup ! Écoute, ce sont les cloches de la cathédrale de Metz.

Odette et Albert écoutent les cloches.
Edmond et Ludivine écoutent les cloches.
Loup et Luce écoutent les cloches.

LOUP. C'est tout. Je t'embrasse. Je t'appelle la semaine prochaine.

Téléphone portable, Douglas Dupontel répond.

16. Cimetière

Devant la tombe de Louis, Rose et Adrien Davre.
Douglas répond.

DOUGLAS DUPONTEL. Douglas Dupontel, paléontologue, oui ? / Ah ! bonjour madame / Nous sommes devant la tombe de Louis et Rose Davre justement. Alors, à propos d'Alexandre, Albert et Edmond Keller, vous avez trouvé ? / Formidable, formidable / Le mieux, c'est de m'envoyer ça à mon adresse Internet / animaquaenobiscumdegunt arobase museedepaleontologiecomparee trait d'union paris trait d'union direction point général point fr.

LOUP. Tabarnac !

DOUGLAS DUPONTEL. Non non, animaquae-nobiscumdegunt ça signifie animaux domestiques en latin / Quand on comprend, ce n'est pas compliqué / je vous épelle : a, n, i…

LOUP. Donnez-lui mon adresse à moi ça va être plus simple, avec une affaire de même on sera encore ici l'année prochaine jusqu'à Pâques, Noël puis le Nouvel An.

DOUGLAS DUPONTEL. Attendez, attendez ! *(À Loup :)* Quoi !?

LOUP. Donnez-lui mon adresse ! Ça sera plus simple !

DOUGLAS DUPONTEL *(au téléphone)*. On va vous donner un autre mail.

LOUP. Toutemecœuretoutemefaitchier arobase hotmail point com pas d'accent pas d'apostrophe.

DOUGLAS DUPONTEL. Toutemecœuretouteme faitchier arobase hotmail point com / oui comme ça se prononce. / En vous remerciant encore. *(Il raccroche.)* Votre mail n'est pas plus simple que le mien et c'est un peu gênant.

LOUP. Ça fait deux heures qu'on tourne en rond dans le cimetière ! Là on a trouvé la tombe, alors on peut partir, à moins que vous ayez envie de faire un pique-nique ou *whatever*.

DOUGLAS DUPONTEL. Louis Davre : 1886-1953. Rose Davre : 1892-1962. Adrien Davre : 1924-1938.

Le petit frère de Ludivine sans doute mort à quatorze ans. Ludivine absente.

LOUP. Ludivine mère de Luce qui est la mère d'Aimée qui est la mère de Loup. Ludivine abandonnée dans un orphelinat a abandonné Luce qui a abandonné Aimée qui a abandonné Loup. Et Loup, qui va-t-elle abandonner?

DOUGLAS DUPONTEL. Loup ne va abandonner personne.

LOUP. C'est pour ça que Loup n'aura pas d'enfant et n'aimera jamais personne. L'histoire est terminée, on peut tous rentrer chez nous.

DOUGLAS DUPONTEL. Loup, on est sur le point de remettre tous les morceaux du puzzle en place.

LOUP. Puis? Quand les morceaux seront en place? Qu'est-ce que je vais faire?

DOUGLAS DUPONTEL. Vous tomberez amoureuse.

LOUP. Bullshit. Une fille sans aucune tenue vestimentaire… qui va aimer ça?

DOUGLAS DUPONTEL. Si j'étais plus jeune, je serais tombé amoureux de vous.

LOUP. Oui ben vous êtes pas jeune puis vous n'êtes pas amoureux de moi! Fait que bon! Avec des si, on finit par se fourrer le doigt dans l'œil jusqu'au coude jusqu'à la craque des fesses! Il y a devant nous un tel degré d'horreur… Amour impossible sur amour impossible… Alors je ne sais plus si je veux savoir…

DOUGLAS DUPONTEL. Vous n'êtes pas seule, Loup. Je suis là…

LOUP. … Et je ne comprends pas pourquoi c'est à moi de faire ça ! De faire tout ça ! J'en veux à ma mère, à mon père, j'en veux au monde entier, on dirait qu'ils se sont tous passé le mot en se disant que Loup fera le ménage quand elle arrivera et ils sont tous restés assis sur leur cul, sacrement, sans savoir aimer sans savoir donner, abandon sur abandon !

DOUGLAS DUPONTEL. De quoi avez-vous si peur, Loup ?

LOUP. J'ai peur de ne pas trouver ma place dans le monde ! C'est important ça de trouver sa place dans le monde quand on a seize ans, non ?

DOUGLAS DUPONTEL. Vous avez le temps, vous êtes jeune !

LOUP. Non, je n'ai pas le temps et je ne suis pas jeune ! Y a rien de plus niaiseux de plus épais de plus cave qu'un jeune qui dit de lui qu'il est jeune ! Ça, ça veut dire qu'il est déjà mort ! Moi je veux tout, tout de suite et que ça soit beau, et grand et magnifique et bouleversant et clair, et évident comme de l'eau qui tombe ! Vous rendez-vous compte, Douglas, que vous êtes la personne avec qui j'aurai parlé le plus dans ma vie ? Qu'est-ce que vous croyez ? Moi aussi si j'avais été beaucoup plus vieille je serais tombée amoureuse de vous, mais je ne suis pas plus vieille et vous n'êtes pas plus jeune, comme quoi je perpétue le malheur à mon tour : amour impossible sur amour impossible ! Est-ce que vous avez déjà aimé quelqu'un, vous, Douglas ? C'est comment ? C'est quoi le remède contre le malheur ? Je veux dire qu'est-ce qui va nous sauver des horreurs de l'amour, Douglas ?

DOUGLAS DUPONTEL. Il faut résoudre l'énigme de votre vie, Loup. Retrouver la vie de Ludivine.

LOUP. Mais pour quoi faire ?

DOUGLAS DUPONTEL. On ne sait pas encore, alors tout est possible. Tenez : et si Ludivine, à l'instant de sa mort, a pensé à Loup ? Si Ludivine au moment de mourir s'est mise à pleurer parce qu'elle a pressenti combien allait être fragile le cœur de Loup ? et si, Ludivine, pour aider Loup à trouver un sens à sa vie, trouver sa place dans le monde, trouver son identité, a voulu lui dire quelque chose ?

LOUP. Lui dire quoi ?

DOUGLAS DUPONTEL. C'est précisément cela que nous cherchons tous les deux à découvrir. Qu'est-ce que Ludivine a voulu vous dire de si important au moment de mourir pour réussir à faire apparaître un morceau de son propre crâne dans le crâne de votre mère ? Et pourquoi mon père ne l'a pas découvert ? Pourquoi vous et moi nous sommes-nous rencontrés, Loup ? pourquoi je me suis autant attaché à vous, moi aussi ? pourquoi, aujourd'hui, si vous disparaissiez ou s'il vous arrivait du mal, je ne le supporterais pas ?

LOUP. Taisez-vous.

DOUGLAS DUPONTEL. Qu'ai-je à faire avec vous ? Qu'avez-vous à faire avec moi ? Votre sang n'est pas le mien, votre langue n'est pas la mienne, votre âge n'est pas le mien. Alors pourquoi ? Pourquoi je n'ai jamais eu d'enfant ?... Loup ?

LOUP. Pourquoi ?

DOUGLAS DUPONTEL. Pourquoi ?

LOUP. On devrait partir d'ici, le ciel se couvre, il va sûrement pleuvoir.

17. Je ne t'abandonnerai jamais

LUDIVINE. Edmond, je suis Ludivine. Êtes-vous le fils d'Albert Keller ?

EDMOND. C'est tu sais comme une ombre am-
        biguë
        d'être aujourd'hui témoin
        d'être encore

> d'être et d'être
> où la détresse est telle qu'elle se dit
> sans chant.

LUDIVINE. Je deviens folle ! Edmond, vous êtes la seule personne qui peut m'aider à savoir qui je suis et vous vous taisez et vous ne dites rien et pendant ce temps, tous les jours, des gens sont arrêtés, déportés, emportés, dans des trains qui sont probablement fabriqués et vendus par les usines Keller. Edmond, la famille dont nous sommes peut-être issus vous et moi fabrique les trains du malheur, et au milieu de ce malheur, qui nous donne tous les jours des raisons de désespérer, il y a votre silence ! Edmond ! Vous êtes Edmond, Edmond le girafon, et vous n'êtes pas fou… Je vous en prie…

Je vous en prie…

EDMOND. Le pire est ce devoir chiffré
> Inscrit sous le chiffon violé
> que tout au plaisir du soleil et de l'eau
> innocente tu veuilles m'entendre.

LUDIVINE. Je vais m'en aller alors. Plus de mémoire pour le pauvre Edmond et c'est peut-être une chance. Vous ne verrez pas les amis mourir, vous ne verrez pas les amis partir, vous ne verrez pas les amis brûler. C'est une chance. Regardez, il va bientôt pleuvoir.

EDMOND. Je vous aimais autrefois
> Je me souviens je me rappelle

Dans l'hallali des grands soirs
Je me souviens je me rappelle
C'était une rengaine sans fin.
Écoute-moi, écoute-moi
Sèche tes larmes au grand soir
Sèche tes larmes.
Je ne t'abandonnerai jamais.

LUDIVINE. Quoi ? Qu'avez-vous dit ?

EDMOND. Je ne t'abandonnerai jamais !

Ludivine montre son dos à Edmond. « Je ne t'abandonnerai jamais » y est tatoué. Edmond hurle.

18. Le bonheur des girafes

EDMOND. Qui êtes-vous ?

LUDIVINE. Je ne sais pas ! Depuis ma naissance, cette phrase est tatouée sur mon dos : « Je ne t'abandonnerai jamais » qui n'a pas tenu sa promesse envers moi puisque, justement, j'ai été abandonnée ?

EDMOND. Avez-vous connu le zoo ? et comment vont les animaux et Jeanne et Marie comment vont-elles ?

LUDIVINE. Edmond, je ne sais rien de moi. Ni le nom de ma mère ni celui de mon père et jamais personne ne m'a parlé d'un zoo. Vous êtes bien Edmond ?

EDMOND. Edmond le girafon, fils d'Albert et d'Odette et petit frère d'Edgar et d'Hélène et comme vous je porte mon nom tatoué sur mon dos.

Edmond montre son dos nu à Ludivine. « Edmond » y est tatoué.

DOUGLAS DUPONTEL. Voici la lignée de la famille Keller : Alexandre Keller a eu Albert. Albert a eu, avec Odette Garine, trois enfants : des jumeaux, Hélène et Edgar, puis, un fils, nommé Edmond. Ensuite, Albert s'installera avec sa famille dans un domaine au milieu de la forêt des Ardennes à partir de 1874. Si Ludivine est issue de cette famille, cela signifie, Loup, que vous-mêmes vous en êtes issue.

LUDIVINE. Qu'allez-vous faire ?

LOUP. Qu'est-ce qu'on fait ?

EDMOND. Je dois retourner au zoo !

DOUGLAS DUPONTEL. Rencontrer le notaire qui s'est occupé de la famille Keller.

ODETTE. Edmond ? Qu'est-ce que tu fais ici, tout seul, entre les pattes de la girafe ?

EDMOND. La girafe et moi nous attendons la pluie. Edgar et Hélène m'ont dit que quand il pleut, la girafe est heureuse et moi, j'aime quand la girafe est heureuse.

Pluie 2006. Pluie 1943. Pluie 1873.

LOUP. Bon, ça y est…

LUDIVINE. Vous entendez ?

EDMOND. Enfin !

LOUP, ODETTE ET LUDIVINE. Il pleut.

EDMOND. Papa, maman, Edgar, Hélène, regardez…
la girafe est heureuse !

LA PEAU D'HÉLÈNE

19. Pluie

a. TACHÉE

LUDIVINE. Albert Keller serait-il aussi mon père ?

EDMOND. Ma mémoire est une forêt dont on a abattu les arbres.

LUDIVINE. De qui vous souvenez-vous ?

EDMOND. Je me souviens de mes parents, de mon frère Edgar et de ma sœur Hélène. Je me souviens de Jeanne et de Marie, les filles d'Hélène. Où sont-elles ? Où sont-elles ? Mon monde s'arrête là. Pas de Ludivine, pas de Ludivine.

LUDIVINE. Et ce tatouage ?

EDMOND. Il porte clairement la marque du zoo et sa technique est celle que mon père avait développée pour tatouer les animaux du zoo.

LUDIVINE. Alors ?

EDMOND. Alors si vous êtes, comme moi, liée à cette famille, je crois que votre ignorance est une grâce pour vous. Ne cherchez pas à savoir, ne me forcez pas à vous raconter car les événements qui ont eu lieu dans cet endroit peuvent tacher votre âme comme la tache de vin tache la blancheur de la nappe.

LUDIVINE. Edmond, je suis déjà tachée, imprégnée, je suis fossilisée entièrement par ce que je porte et que je ne comprends pas de moi ! Je vous supplie. Soyez généreux, Edmond. Regardez-moi, je suis Ludivine, c'est moi.

EDMOND. Je suis Edmond. Je suis né dans une maison. Une maison perdue au beau milieu d'une grande et profonde forêt. J'y ai vécu des années heureuses et des années malheureuses avec mon frère Edgar et ma sœur Hélène au milieu d'animaux sauvages que mon père avait fait venir de loin.

LUDIVINE. Pourquoi ?

EDMOND. Utopie, rêve, folie, panthères, girafes, chimpanzés et zèbres, éléphants, caïmans et une diversité d'oiseaux peuplaient notre quotidien. Nous vivions dans un zoo et les animaux, tous les animaux, étaient mes amis, mais de toutes les bêtes, toutes les bêtes, toutes les bêtes que je côtoyais, la girafe tachetée du Gabon était celle que je préférais. Nous ne quittions jamais la forêt et nous ne connaissions rien du monde. Mais nous étions heureux. Nous l'avons été, je crois, je crois bien que oui. Du moins jusqu'à ce qu'Hélène, ma sœur, ayant quitté l'enfance, soit devenue une jeune fille dans les yeux de mon père. Je crois bien.

b. MANGÉE

ALBERT. Hélène, Hélène, Hélène !

HÉLÈNE. Papa, Edmond, hier, m'a dit qu'il t'a vu m'embrasser, qu'il m'a vue t'embrasser ; il a dit, Edmond, que ce n'est pas comme ça qu'un père doit embrasser sa fille ni qu'une fille doit embrasser son père. Il a dit, Edmond, que ce n'est pas comme ça qu'une fille doit aimer son père.

ALBERT. Hélène, écoute-moi, écoute. Voilà le bonheur. Écoute. Tu ne m'es rien par le sang et tu m'es tout par ta peau.

HÉLÈNE. Papa !

ALBERT. Je ne suis pas ton père, Hélène, écoute ! Laisse-moi te dire : il y a, là, au creux de ton sexe, une douceur blanche, où tout est possible ; alors, moi, du coup, te léchant, j'ai l'impression d'être seul sur une plage et, pour la première fois depuis des siècles, de pénétrer dans une eau fraîche de soleil éclaté. J'avale parfois à grands coups de langue ce qui est toi et je te jure, Hélène, ce n'est pas fruité, ce n'est pas sucré, ni rien venant du monde des hommes, c'est du «toi». Je veux dire que, désormais, il n'y a qu'une personne à qui j'ai envie de dire «toi». C'est un si joli mot «toi». Dans le grondement effrayant des fauves, je mange du «toi» et tout comme certaines fleurs que l'on ne retrouve qu'au sommet de certaines montagnes, le «toi», je ne peux le retrouver que là, dans l'excitation mouillée de nous deux. Alors il apparaît, il sève de toi, il jute, c'est bon, si bon, soyeux et chaud et frais à la fois, gourmandise jusqu'à la nuit des temps, et je le goûte et c'est vraiment comme de l'infini à portée de bouche.

HÉLÈNE. Maman !

ALBERT. Maman, Edgar, Edmond, tous ensemble réunis ne peuvent rien contre l'infini et je les jetterais aux fauves plutôt que de te perdre !

EDMOND. Ils se sont embrassés durant des nuits et des nuits, je les regardais à travers l'embrasure de la porte et je voyais un incendie, comme si leurs corps, rougis par l'amour, enflammaient et décimaient par avance mon monde ! Edgar, à son tour, se mit à comprendre et ma mère, à son tour, et tous les trois, la nuit, sans se le dire, nous allions les regarder s'allonger dans le grand bassin où l'on nettoyait les grands sauriens, les regarder faire l'amour et s'embrasser et s'aimer comme aucun d'entre nous trois ne pouvait espérer un jour pouvoir aimer.

c. ÉGARÉE

EDMOND. Edgar, pauvre Edgar, qui voulait tant aimer et tant être aimé ! Edgar, pauvre Edgar !

EDGAR. Tu as bien raison de venir te cacher comme tu te caches au fond du grenier où nous jouions quand nous étions petits. Tu as bien raison de te cacher, bien raison d'avoir honte. Bien raison.

HÉLÈNE. Je n'ai pas honte.

EDGAR. Alors tu n'as pas de cœur.

HÉLÈNE. Qu'est-ce que tu me veux, Edgar?

EDGAR. C'est ton père!

HÉLÈNE. Ce n'est pas notre père!

EDGAR. Il nous a élevés, nous a éduqués, nous a aimés, nous a appris à parler, à marcher. Quand on était malade, il était malade avec nous et quand on était heureux, il était heureux avec nous! C'est notre père!

HÉLÈNE. Le sang!

EDGAR. Sang ou pas sang, c'est notre père et il te baise!

HÉLÈNE. Il m'aime!

EDGAR. Il te baise!

HÉLÈNE. Il m'aime!

EDGAR. Je rêve, non mais dites-moi un peu que je rêve! Hélène, bordel, réveille-toi!

HÉLÈNE. Lâche-moi!

EDGAR. Réveille-toi, Hélène, et regarde ! Qu'est-ce que tu vois ! Réponds-moi, qu'est-ce que tu vois !

HÉLÈNE. La forêt.

EDGAR. Exactement. La forêt. À perte de vue, la forêt et partout, partout, partout, partout, partout, partout, partout la forêt et au beau milieu de cette putain d'enfoirée de bordel de cul de merde de forêt, il y a nous, sans personne à aimer, sans personne à rencontrer et jamais, jamais le moindre espoir pour rêver ! que des animaux ! que des animaux ! Alors arrête de dire qu'il t'aime, il ne t'aime pas, il s'ennuie !

HÉLÈNE. Tu me fais mal !

EDGAR. Et lui, il ne te fait pas mal ? quand il te fait ce qu'il te fait, il ne te fait pas mal ? et c'est à moi, moi Edgar, ton frère, ton jumeau, c'est à moi que tu dis : « Tu me fais mal » ? C'est à lui que tu devrais hurler ça ! À lui ! Pas à moi !

HÉLÈNE. Tu es affreux, Edgar !

EDGAR. Je ne suis pas affreux, je suis en rage, en sang, en eau, en sueur, en sel, en colère en guerre et en tout ce que tu voudras qui se rapproche plus ou moins du désir de tuer, d'assassiner, d'égorger ! Et pas seulement pour ce qu'il te fait, mais aussi pour tout ce qu'il m'enlève en me forçant à rester ici, m'empêchant de découvrir le monde !

HÉLÈNE. Tu es jaloux, c'est tout !

EDGAR. Hélène ! Je ne supporte pas l'idée qu'il puisse te toucher ! Et toi, toi tu aimes ça, je le vois, on le voit, chaque nuit, chaque fois ! Edmond, maman et moi ! Je comprends la découverte du corps dans un monde comme celui-là. On ne peut pas y résister. Mais réfléchis ! Maman ! Elle te regarde, elle te regarde dans les bras de cet homme qui lui a promis la vie rêvée, elle le regarde et elle pleure !

HÉLÈNE. Arrête !

EDGAR. Hélène, il faut que l'on parte d'ici ! Nous vivons dans cette forêt depuis notre naissance et nous sommes en train de devenir fous, cinglés, hallucinés, complètement frappés, tapés ! Son rêve est en train de nous avaler, c'est son rêve, Hélène, le sien, pas le nôtre ! Je te jure, Hélène, prenons Edmond et partons ! On lui dira, on leur dira qu'ils sont en train de nous prendre notre jeunesse, nos plus belles années, et que nous allons les quitter, que nous allons les laisser à leur folie.

HÉLÈNE. Je suis enceinte !

EDGAR. Et s'ils refusent, alors nous les maudirons, nous les frapperons, nous leur dirons que le mal qu'ils nous ont fait est plus grand que le meurtre et nous partirons tout de même. Et si nous ne parvenons pas à passer par le chemin creux, alors nous passerons par la rivière, toi, Edmond et moi…

HÉLÈNE. Je suis enceinte !

EDGAR. Nous retournerons dans le monde, là, je suis sûr, nous retrouverons une vie ancrée, réelle, la vie de la vie !

HÉLÈNE. Edgar, je suis enceinte de lui !

Téléphone portable.
Loup répond.

d. ÉCŒURÉE

LOUP. Qu'est-ce que vous faites, tabarnac ? Ça fait trois heures que je vous attends. / Je suis chez maître Pierre Petit, notaire. / Mais oui je suis dans son salon. / Laissez faire le train et prenez un taxi à moins qu'il n'y ait aussi une grève de taxis, dans ce cas-là venez à pied, en charrette, en skidoo ou en raquettes, ciboire, mais venez. / Rien. Il m'a demandé si j'avais un lien avec Edmond Keller. / Que voulez-vous que je lui réponde, je lui ai répondu que j'arrivais même pas à savoir quel lien j'avais avec moi-même. / Non ! Au contraire, il m'a dit qu'il comprenait ! Que lui aussi parfois il se sentait comme ça ! Il est gentil, lui. / Bon : le notaire et moi, on vous attend !!

e. ÉCLATÉE

LUDIVINE. Continuez.

ALBERT. Je sais ce que chacun d'entre vous pense. Je le sais. Malgré tout, il sera entendu désormais qu'Hélène et moi vivrons ensemble une vie de couple. Hélène porte un enfant de moi et sans doute, d'autres enfants suivront. Hélène et moi, nous nous aimons. Cela peut paraître cruel, mais dans l'intérêt du rêve qui est le nôtre, nous devons accepter ce que d'autres n'auraient pas la force d'accepter.

EDGAR. De quel rêve parles-tu ?

ALBERT. Celui dans lequel nous nous sommes engagés dès le jour où nous sommes arrivés ici.

EDGAR. Penses-tu que maman soit heureuse dans ce rêve ?

ALBERT. Ta mère ne peut plus avoir d'enfants et pour le bienfait de notre vie ici, il faut que nous soyons nombreux, que nous nous multipliions pour assurer l'existence du zoo.

EDGAR. Mais ne vois-tu pas que le zoo est perdu ?

ODETTE. Obéis, Edgar, obéis !

EDGAR. Pourquoi tu me dis cela ? Alors qu'il t'insulte, te méprise, t'humilie avec ta propre fille ? pourquoi ?

ODETTE. Nous continuerons à vivre heureux au cœur du zoo !

EDGAR. Cela nous conduira à la folie et à la monstruosité assurée !

ALBERT. Hélène et moi n'avons pas le même sang !

EDGAR. Arrête !

ALBERT. Je ne suis pas votre père !

EDGAR. Qui es-tu alors si, du jour au lendemain, je dois cesser de te considérer comme mon père ? Qui es-tu ? Un étranger ?

ODETTE. Il est celui qui t'a sauvé la vie, qui t'a donné un toit, une vie, un rêve, une dignité.

EDGAR. Ma sœur et moi étions à ce point perdus pour avoir besoin de ta dignité ? Qui es-tu ?

ALBERT. Tous les enfants nés d'un viol ont, un jour ou l'autre, besoin de retrouver cette dignité. Et vous êtes nés du viol d'un violeur. Un inconnu à jamais disparu. Il a abusé de votre mère et vous a conçus sans le savoir. Voilà qui était votre père.

HÉLÈNE. Maman…

ODETTE. Au fond de la mine du gouffre au Loup. Il m'a prise là. Il m'a prise.

LUCIEN. Quel homme ? Qui était-il ?

ODETTE. Un homme. Oui. C'est cet homme-là qui est votre père.

ALBERT. Je vous ai alors adoptés et aimés comme si vous étiez mes propres enfants mais vous n'êtes pas mes enfants pourtant j'ai été avec vous comme j'aurais voulu que mon père Alexandre soit avec moi.

EDGAR. Mais tu détruis tout ! Tu ne vois pas que tu détruis tout en nous disant ce que tu nous dis !

ALBERT. La vérité…

EDGAR. Non ! Pas la vérité, mais l'enfer, la folie, la peine et la haine assurés ! Tu ne vois pas qu'en me disant ce que tu nous dis, tu fais en sorte que le temps lui-même s'allonge et qu'à jamais, pour moi, pour Hélène, avec cette vérité verte comme un fruit vert trop vert, les secondes vont devenir des minutes et les minutes des heures et les heures des années et les années des siècles et les siècles un chagrin effrayant à la hauteur de ma colère pour toi ? Tu ne vois pas, tu ne vois pas l'aveuglement, tu ne vois pas !

ALBERT. Oui, je le vois, dans tes yeux, dans ton cœur, je le vois !

EDGAR. Tu ne vois pas que dorénavant la seule solution qui s'offre à moi est de partir, de vous quitter !

ALBERT. Tu ne partiras pas ! Tu ne nous quitteras pas !

EDGAR. Qu'est-ce qui m'en empêchera ?

ALBERT. J'ai fait noyer le chemin creux.

EDGAR. Alors le monde est perdu pour nous.

ALBERT. Edgar, tu ne sais rien du monde, de sa cruauté, de son impitoyable mécanique qui broie chaque être humain en le condamnant par avance à une vie résignée, âpre et malheureuse. Ta mère et moi venons de ce monde et c'est contre ce monde que, depuis le début, nous avons dépensé toutes nos énergies pour vous protéger! La maison construite, c'est pour qui à ton avis? les animaux, les arbres, et toute cette vie, toute cette vie, depuis le début, heureuse et joyeuse, c'est pour qui tu penses? Pourquoi faisons-nous cela, Edgar? Pour nous? Non! Pour nos enfants et pour les enfants de nos enfants pour qu'eux puissent avoir une vie meilleure que la nôtre! Dans cent ans, on nous regardera avec respect parce qu'on prendra la mesure du sacrifice que nous avons fait pour changer le monde! Ce ne sont pas les gens raisonnables qui apportent le bonheur, Edgar, mais les rêveurs car les rêveurs agissent en fonction de leurs rêves et non pas en vertu de leurs intérêts! Mon père, son existence durant, a concassé ma vie par les intérêts qui étaient les siens, je nous en libère par la capacité à rêver, à risquer, à oser, à aller là où cela fait peur, où cela nous inquiète! C'est cela, vivre, Edgar! Tu m'en veux parce que j'aime Hélène? Tu m'en veux parce que j'ai pour Hélène une tendresse infinie? Tu nous en veux pour notre bonheur? Mais pense à tout ce que nous avons vécu ensemble, ici, dans ce paradis, combien de rires et d'histoires et de tendresse entre nous, Edgar, combien de folles promenades sous la pluie? Tu oublies tout cela? Ta mère est d'accord avec mon amour, Hélène est heureuse, je suis heureux et Edmond le girafon, toujours dans le sillage des animaux qu'il aime tant, aussi, est heureux ! Il n'y a que toi, Edgar ! Alors sois courageux, tu seras appelé à prendre ma place et je sais que ta capacité à rêver est aussi grande que la mienne, alors ne t'arrache pas à nous, à ta famille, à ta tribu ! Fais-moi confiance et vois, avec moi, avec nous, le rêve saisissant qui nous attend au loin !

EDGAR. Aussi horrible que peut être le monde, je veux le connaître ! Pourquoi nous imposer si violemment ton rêve ? et que fais-tu des miens et de ceux d'Edmond ? Quel avenir pour nous, ici ? Comment, Edmond et moi, allons faire pour découvrir l'amour ? qui aimer ? Qu'est-ce qu'on t'a fait pour que tu veuilles ainsi faire sacrifice de nos vies ? Pourquoi faut-il absolument que toujours, toujours, toujours, toujours, toujours, toujours, toujours, les pères veuillent sacrifier leur fils ! Quel mal est-ce qu'on t'a fait ?

HÉLÈNE. Edgar, je t'en prie, arrête !

EDGAR. Non ! Je ne peux pas arrêter ! Tant que tu toucheras à la peau de ma sœur, je ne saurai pas m'arrêter !

EDMOND. Edgar, Edgar, arrête ! Arrête ! Je te dis ! Quelque chose arrivera qui saura nous sauver, quelque chose arrivera, j'en suis certain. Arrête !

EDGAR. Pas de joie alors, pas de joie, qu'un cœur qui bat, gros comme la forêt et qui veut, lui aussi, trembler et aimer !

EDMOND. Il battra, Edgar, je t'assure. Laisse-le, laisse ton cœur, Edgar, ne le jette pas aux orties du chemin, laisse-le faire ton grand cœur, mon frère ! Edgar !

f. ÉNERVÉE

EDMOND. Je ne veux plus rien peindre, peindre, je ne veux plus rien peindre, ni les troubles anciens ni les cris de ma mère ni la vie ancienne qui remonte, ni les voix anciennes, celles du bonheur comme celles du malheur. Je ne veux plus rien peindre !

LUDIVINE. Trop tard pour reculer, Edmond.

EDMOND. Une mouette coud l'écume à la nuit.
Peindre, il ne voulait rien peindre,
Mais juste en abîme bâtir un autre abri…

LUDIVINE. Non ! Restez avec moi, Edmond. Racontez l'histoire.

EDMOND. Elle vous laissera en cendres.

LUDIVINE. Je n'ai plus rien à perdre.

EDMOND. Et moi j'ai déjà tout perdu.

LUDIVINE. Je ne t'abandonnerai jamais.

EDMOND. Taisez-vous.

LUDIVINE. Hélène est enceinte d'Albert. À qui Hélène a-t-elle donné naissance ? Racontez !

EDMOND. D'abord Jeanne, ensuite Marie. On a tous fait semblant d'être heureux, jusqu'à ce que, quatre ans plus tard, c'était le début du siècle, janvier 1900, le barrage cède et que la douleur entre dans la maison pour tout, tout, tout déchirer.

g. MÉTAMORPHOSÉE

ODETTE. Edmond, Edmond, Edmond !

EDMOND. Maman.

ODETTE. Prends ce couteau et tue-moi ! Tue-moi ou je les tuerai. Je le sens, je le peux.

EDMOND. Non.

ODETTE. Tue-moi. Plus rien d'humain en moi. J'ai tout raté, j'ai tout menti ! Regarde… Regarde mon visage dans le miroir… Vois-tu, comme moi, la tête d'un loup à la place de ma propre image ?

EDMOND. Perdue la raison, perdue, égarée dans les limbes de ses secrets. Il a fallu l'enfermer, l'attacher. C'était l'accélération de la douleur dans le cœur de ma mère. Odette, qui était si belle, Odette, sans doute terrassée par trop de peine, est devenue folle.

LUDIVINE. Vous tremblez.

EDMOND. Je tremble oui. Car j'ai l'impression que les étoiles se sont rapprochées de nous de quelques millimètres à l'idée d'évoquer cette nuit où tout, finalement, s'est articulé dans la catastrophe de ma vie. Ludivine.

LUDIVINE. C'est moi, Edmond. C'est bien moi.

EDMOND. Ludivine, restez dans la pureté de votre soif. Ici, l'eau est noire.

LUDIVINE. Edmond ! Je veux boire à l'eau du chagrin ! Unique condition pour casser le fil de toutes nos enfances abandonnées. Racontez, peignez ! Edgar serait-il mon père ?

EDMOND. Impossible. Les morts ne donnent pas la vie et Edgar est mort cette nuit-là sans avoir connu l'amour, ou du moins, sans l'avoir connu dans la douceur mutuelle. Pauvre Edgar, pauvre nuit, comme si tout s'était arrêté cette nuit-là et comme si, pour les siècles à venir, tout n'était plus qu'une seule et grande et profonde nuit.

LUDIVINE. Que s'est-il passé ?

EDMOND. Edgar, fou de désespoir devant la folie de sa mère, la jouissance de sa sœur, la violence de son père, la solitude de son frère, et la cassure de lui-même, n'en pouvant plus, craquant, se fissurant, Edgar, cette nuit-là, est entré dans les grands bains vides où Albert et Hélène faisaient l'amour. Il s'est approché d'eux. Ils étaient en pleine extase, leurs sexes depuis longtemps habitués l'un à l'autre savaient désormais comment faire pour arriver à la violence simultanée de la plénitude. Oui. Ils étaient dans l'oubli de leurs corps et de tout ce qu'ils étaient. Et c'est là, dans cette seconde d'éternité, qu'Edgar, d'un seul geste, pélican plongeant dans la mer, a planté son couteau dans le dos de son père pour retirer son père du corps de sa sœur et, Edgar, dans les cris et les hurlements d'Hélène, perdant la tête, Edgar, le doux, le grand, le noble, celui qui voulait connaître le monde, laissant le couteau dans le dos de son père, a plongé son sexe dans celui de sa sœur. Le jumeau, plantant et replantant et replantant et replantant encore et encore et plus profondément encore et violemment et sans cesse son sexe dans celui de sa jumelle, a découvert la noirceur même de son esprit, qui, obscurci trop soudainement, brûlé trop soudainement, n'a plus supporté le temps. Le temps s'arrêtant, tout s'est mis à s'accélérer, la terre tournant plus lentement, l'espace s'est précipité vers l'avant entraînant Edgar avec lui. Je l'ai vu, oui je l'ai vu depuis la fenêtre de ma chambre. J'ai vu Edgar, je l'ai vu, mon valeureux frère, aller se jeter du haut de la maison au milieu de la cage où vivaient les ours noirs d'Amérique. Les cris ont éveillé les animaux et les animaux ont éveillé ma mère. Odette, courant partout, folle, a vu la malédiction se lever devant elle, vague immense qui emporte tout et l'emportant dans sa douleur, ma mère voyant Albert ensanglanté, sa fille violentée et son fils déchiqueté par les ours en colère, s'est précipitée vers la fosse où nous jetions les animaux trop sauvages et s'y est jetée à son tour pour mettre fin à ses tourments ! Maman ! J'ai hurlé comme jamais je n'avais hurlé, réalisant, du même coup, combien l'amour que je portais à ma mère était grand ! Maman !

h. RELAYÉE

NOTAIRE. Lorsque je vous ai entendu prononcer le nom d'Edmond Keller, j'ai eu l'impression que le temps s'était arrêté. Il faut dire que mon père déjà espérait voir arriver un jour tel que celui-ci et mon grand-père encore plus.

DOUGLAS DUPONTEL. Vous êtes notaire de père en fils ?

NOTAIRE. Oui. Voilà pourquoi ce cahier est devenu, dans l'histoire de ma famille, un objet de mythe. Vous voulez le voir ? Passons dans mon bureau. Et puisque vous semblez vous intéresser aussi à la vie de Ludivine Davre, vous pourrez voir un tableau très curieux de la famille Keller qu'elle a réalisé elle-même. Par ici. Nous avons tenté de conserver le cahier dans le meilleur état possible, mais il faut dire qu'il a, visiblement, beaucoup voyagé. Mon grand-père a eu ce cahier, il l'a transmis à mon père qui me l'a transmis. Le voici.

DOUGLAS DUPONTEL. Ce cahier vous a donc été remis par Edmond Keller !

NOTAIRE. Il ne me l'a pas remis à moi, je n'étais pas encore né. Mais il l'a remis à mon grand-père. Cela ne m'empêche pas d'être ému de vous le

128

remettre aujourd'hui. Comme si une époque se terminait.

DOUGLAS DUPONTEL. Pourquoi acceptez-vous de nous le remettre sans même prendre la peine de savoir qui nous sommes et d'où nous venons ?

NOTAIRE. Parce que telles étaient les volontés de son propriétaire. Le testament original a été rédigé par mon grand-père Ambroise Petit, notaire, pour le compte de monsieur Edmond Keller. Edmond Keller, que la légende appelle le girafon, a requis les services de mon grand-père en 1951 pour, d'une part, vendre une propriété sise au milieu de la forêt des Ardennes et, d'autre part, constituer son testament. Dans son testament, Edmond Keller lègue, et c'est précisément cela qui est étrange, à quiconque viendrait s'informer de lui le cahier scellé ci-présent. Ce legs doit être automatique sans aucune forme de référence ou de vérification. Il a, semble-t-il, beaucoup insisté sur ce point.

LOUP. Personne n'est venu depuis ce temps-là ?

NOTAIRE. Visiblement non. Ce cahier est désormais à vous. Je vous le remets tel qu'Edmond Keller l'a exigé. Voici le tableau dont je vous parlais. Edmond Keller en a fait cadeau à mon grand-père. Edmond Keller est reconnaissable à son crâne rasé, mais rien n'indique l'identité des autres personnages.

DOUGLAS DUPONTEL. Ludivine était peintre ?

NOTAIRE. Assez douée comme vous pouvez le constater, mais la guerre a mis fin à tous les espoirs.

DOUGLAS DUPONTEL. Votre grand-père a-t-il connu Ludivine?

NOTAIRE. Ils étaient dans la Résistance ensemble. Le réseau Cigogne. Ils aidaient les aviateurs anglais, canadiens et américains à regagner la zone libre lorsque leur avion avait été abattu.

DOUGLAS DUPONTEL. Ce cahier semble être le journal d'Edmond Keller.

HÉLÈNE. Edmond!

NOTAIRE. Je ne saurais pas vous répondre.

HÉLÈNE. Edmond!

NOTAIRE. Personne n'était autorisé à le lire, mis à part vous.

i. ABANDONNÉE

HÉLÈNE. Edmond, Edmond, partons!

EDMOND. Nous partirons, Hélène, mais avant, je dois me rendre dans le monde pour préparer notre arrivée. Je quitterai dans quelques jours la forêt. J'irai voir dans les villes, je tâcherai de trouver un zoo qui saurait accueillir les animaux, je nous trouverai un endroit où vivre.

HÉLÈNE. Non! Toute seule ici je deviendrai folle!

EDMOND. Hélène, écoute-moi ! Je reviendrai, je te le promets !

HÉLÈNE. Tu me le promets !

EDMOND. Je te le promets !

HÉLÈNE. Tu reviendras ?

EDMOND. Je reviendrai.

HÉLÈNE. Tu ne m'abandonneras pas ?

EDMOND. Je ne t'abandonnerai jamais !

LUDIVINE. Je ne t'abandonnerai jamais !

HÉLÈNE. Jamais !

DOUGLAS DUPONTEL *(lisant).* Jamais !

EDMOND. Je l'ai dit ! Je l'ai promis ! Cent fois promis, cent fois juré !

HÉLÈNE. Promets-le-moi encore, promets-le-moi, Edmond !

LUDIVINE. Je ne t'abandonnerai jamais !

HÉLÈNE. Encore.

LOUP. Je ne t'abandonnerai jamais !

HÉLÈNE. Encore.

EDMOND. Je ne t'abandonnerai jamais !

DOUGLAS DUPONTEL *(lisant).* Et je suis parti sans savoir que j'allais tout droit vers le chagrin, la lame de fond qui allait déchirer la trame de ma vie.

EDMOND. Je ne t'abandonnerai jamais.

DOUGLAS DUPONTEL *(lisant).* Trahissant à mon tour, une promesse magnifique.

EDMOND. Hélène ! Hélène ! Je suis parti et je ne suis jamais revenu.

LOUP. Je ne t'abandonnerai jamais.

HÉLÈNE. Edmond !

EDMOND. Hélène ! Hélène ! Je ne suis jamais revenu. On ne peut pas savoir ce que c'est que de découvrir les villes et les guerres et les animaux sacrifiés et les humains massacrés par le travail et l'oubli et la fatigue et la laideur ! Découvrir cela d'un coup. L'enfer rend fou et l'on m'a enfermé et voilà que, des années plus tard, vous arrivez dans ma vie, Ludivine, comme un rappel, un message, comme si c'était la peau de ma sœur Hélène, qui me criait, à travers votre peau, ma promesse ancienne : « Reviens, je t'attends. » Vous êtes trop jeune pour être la fille d'Hélène.

LUDIVINE. Alors qui suis-je ?

EDMOND. La fille de Jeanne ou de Marie ou peut-être…

LUDIVINE. Quoi ?

EDMOND. Non ! Je dois retourner au zoo ! Je tâcherai de savoir. Ludivine ! Je vous le promets. Je voudrais dire un autre mot, mais je ne trouve que celui-ci : je vous le promets. Les promesses parfois sont plus justes dans leur profération que dans leur échec, alors je vous promets que si je trouve de qui vous êtes la fille, je ferai tout pour vous le faire savoir. Je vous le promets, je vous le promets. À vos pieds ! Ludivine : vous êtes celle par qui la parole arrive. Je pars vers le zoo et j'emporte avec moi ce cahier et je vous écrirai. Je vous aiderai. Il arrive toujours du côté où on l'attend le moins, le pas tranquille de l'ange.

j. RÉVÉLÉE

DOUGLAS DUPONTEL *(lisant)*. Au troisième mois, Hélène découvrit qu'elle était enceinte, sans savoir si elle l'était d'Albert ou de son frère Edgar. Hélène accoucha seule au milieu du zoo et mit au monde des jumeaux. Une fille qu'elle appela Léonie et un garçon auquel elle ne sut pas donner de nom. Un enfant informe, monstrueux, mais vivant, bien vivant. Tout cela me fut raconté par Léonie elle-même, lorsque je revins au zoo. Elle vivait seule, sans repère de temps, sans repère au monde. Si ce livre tombe entre des mains bienveillantes, retrouvez, je vous prie, mademoiselle Ludivine Davre et faites-lui savoir qu'elle est la fille de Léonie Keller et de Lucien Blondel, soldat déserteur de la Première Guerre mondiale, mort au fond de la fosse en tentant de délivrer Hélène tenue prisonnière par son fils monstrueux. Fuyant le zoo après que la fosse se fut enflammée, enflammant du même coup la maison et la forêt, Léonie a pris Ludivine et a fui par la rivière. Arrivée dans le monde, elle a compris que ce monde serait trop insupportable pour elle. Léonie n'avait connu que le zoo et la forêt. Mais elle voulait pour sa fille Ludivine une vie plus libre que la sienne. Pour Léonie la forêt et pour Ludivine le monde. Sacrifice de la mère pour sa fille. Tatouant sur le dos de Ludivine la promesse que j'avais faite à Hélène « Je ne t'abandonnerai jamais », Léonie l'a portée jusqu'à un orphelinat et l'a confiée au monde avec ce mot : « Je m'appelle Ludivine, remettez-moi à Edmond le girafon, fils d'Albert Keller, lui-même fils d'Alexandre Keller. » Léonie est morte hier soir. Je l'ai enterrée au milieu de la forêt. Nous sommes en 1951. Je retournerai demain vers le monde et je vendrai le zoo et la maison et la terre, je me délivre de toute attache. Désormais, je lèverai la tête vers le ciel espérant voir, dans la forme magnifique des nuages, passer la silhouette bouleversante d'une girafe.

EDMOND. Je suis Edmond… c'est moi !

k. DÉSESPÉRÉE

LOUP. Le jumeau viola sa jumelle et se tua. Le jumeau entraîna sa mère au fond d'une fosse et la tua. La mère abandonnant sa fille, la fille tête fracassée à coups de marteau le marteau a concassé la mâchoire de sa fille jusqu'à la dernière dent une dent au milieu du cerveau de sa fille qui n'a pas su donner un cœur à la sienne qu'elle a appelée Loup. Est-ce que je résume bien, Douglas ? C'est ça, la vérité que Ludivine voulait me dire et qui allait me permettre de tomber amoureuse ?

DOUGLAS DUPONTEL. Loup, le fil du passé nous lie et nous relie.

LOUP. Il ne nous relie pas, il nous condamne. Moi, du moins, il me condamne. On peut remonter encore et encore et passer notre vie, vous et moi, Douglas, à chercher et fouiller et oublier le présent. On peut, si ça peut vous faire plaisir, passer nos jours ensemble. Qu'est-ce qu'on a trouvé en trouvant ça ? Ma généalogie ? on s'en crisse-tu assez, tu penses, de ma généalogie ? Qu'est-ce qu'on a trouvé ?

DOUGLAS DUPONTEL. Ludivine, pour sauver votre sang, a fait apparaître au centre du cerveau…

LOUP. « … de ma mère un fragment d'elle-même » ! Puis ça ! O.K. qu'est-ce que ça m'apprend sur la vie ? sur moi, sur ma mort et ma naissance ? Bullshit ! Vous parlez du sang, Douglas, vous parlez de mon sang. Maintenant que je connais l'histoire de mon sang, eh bien, ce sang-là, celui que j'ai dans mes veines, celui-là, eh bien, j'ai encore plus envie qu'avant de prendre le couteau puis de me trancher les veines pour me le vider jusqu'à la dernière tache, le faire disparaître, le brûler, le mettre dans l'acide et tout laisser tremper sans épargner la moindre goutte. Et si c'est vrai que je suis la dernière descendante de cette lignée, et que ce sang est bien mon sang, je peux vous assurer que rien dans son histoire ne me donne du courage pour vivre. Au contraire. Mourir et tout enterrer jusqu'à la dernière corde. Mais j'ai promis à Luce que j'irai jusqu'aux ténèbres, alors je vais y aller, et je vais trouver, quitte à y laisser ma peau et ma raison. Plus rien à perdre, plus rien à perdre !

Téléphone portable.

1. CASSÉE

DOUGLAS DUPONTEL. Douglas Dupontel, paléontologue / Bonjour maître Petit / Attendez, attendez, attendez / Cette note date de quand ? / Il nous faut absolument une confirmation de toutes les façons / Pensez-vous que nous pourrions avoir accès à son dossier médical ? / D'accord / Je vous remercie ! *(Il raccroche.)* D'après le notaire, Ludivine n'aurait jamais eu d'enfant.

LOUP. Quoi ?

DOUGLAS DUPONTEL. Ludivine ne serait pas la mère de Luce, elle n'aurait jamais enfanté. Une note de 1932 indique que Ludivine était stérile. Mais historiquement c'est impossible ! En 1932 Ludivine avait quatorze ans et l'époque n'avait pas les moyens de déceler la stérilité. Vous avez la photo que Luce vous a remise ?

LOUP. Les noms sont marqués derrière.

DOUGLAS DUPONTEL. Ludivine et Sarah côte à côte. Samuel à côté de Sarah et Armand à l'accordéon. Maya et François ensemble, à l'arrière. Et voici Ambroise, le grand-père de maître Petit, en avant. « Les membres du réseau Cigogne. »

AMBROISE. Pour le réseau Cigogne !

TOUS. Pour le réseau Cigogne !

Photographie.

LE SEXE DE LUDIVINE

20. Samuel Cohen

a. L'ACCORDÉONISTE

AURÉLIEN. Oui, c'est mon grand-père, c'est Armand, qui est là.

DOUGLAS DUPONTEL. C'est fou comme vous lui ressemblez.

AURÉLIEN. Oui. Je suis très content de voir cette photo, on m'en a beaucoup parlé. C'est, je crois, la seule photo qui existe de mon grand-père où on le voit avec son accordéon. Avec votre permission, j'aimerais numériser cette photo pour la mettre sur le site Internet des anciens du réseau Cigogne. Tous ceux qui sont sur cette photo, mise à part Sarah Cohen qui est debout aux côtés de Ludivine, ont été tués.

DOUGLAS DUPONTEL. Que disait-on à propos de Ludivine ?

AURÉLIEN. Il paraît que mon grand-père l'appelait toujours Ludivine la divine. Quand on disait Ludivine, on disait immanquablement Sarah et quand on disait Sarah, on disait immanquablement Ludivine. Ludivine et Sarah, comme un talisman contre le malheur.

DOUGLAS DUPONTEL. Est-ce que Ludivine a eu des enfants ?

AURÉLIEN. Ludivine n'a jamais eu d'enfant.

LOUP. Mais alors qui est la mère de Luce ?

AURÉLIEN. Qui est Luce ?

LOUP. Comment ça qui est Luce ? !

DOUGLAS DUPONTEL. Attendez. Vous savez comment Sarah et Ludivine se sont rencontrées ?

AURÉLIEN. J'avoue qu'il y a eu beaucoup de légendes, mais ma grand-mère pense qu'elles se sont rencontrées aux Beaux-Arts en 1936.

b. BEAUX-ARTS

Séance de nu. Samuel pose.

Ludivine et Sarah, se regardant à travers les jambes écartées du modèle, sont prises de fous rires.

PROFESSEUR. Fin de la pose, le cours est terminé.

SAMUEL. Avant que vous ne partiez, je voudrais vous inviter à un spectacle de danse surréaliste. Je m'appelle Samuel Cohen et je présente un duo que j'ai chorégraphié en compagnie d'un ami, Damien Ortic, et qui a pour titre *Évolution transcendantale et autres asperges de mêmes types.* Comme il n'y a pas beaucoup de monde, ça nous ferait plaisir de vous y inviter gratuitement, c'est à 20 h, 9, rue des Cinq-Diamants, au premier étage. J'espère vous y voir. En particulier, vous, mademoiselle. Vous semblez avoir pris plaisir à me voir nu, ce soir, ce sera encore plus drôle puisque je serai tout aussi nu mais en mouvement.

Mariage de Samuel et Sarah.
Fête, musique et danse.

c. RÉSEAU CIGOGNE

CHARLOTTE. Je m'appelle Charlotte. Je suis la petite-fille de Maya Ortic qui est au fond, sur la photo.

DOUGLAS DUPONTEL. Votre grand-mère a donc bien connu Sarah et Ludivine.

CHARLOTTE. Ma grand-mère et Ludivine étaient chargées du transfert des aviateurs d'une famille vers une autre. Ma grand-mère est entrée dans le réseau Cigogne en avril 1940. Son frère Damien a été tué par les nazis et je crois qu'elle ne s'en est jamais remise. Samuel Cohen était ami avec Damien Ortic. Ils dansaient ensemble et faisaient des spectacles surréalistes. Le réseau est né, je crois, à la suite de l'assassinat de Damien.

SAMUEL. Son père m'a tout raconté. Il n'a rien pu faire. Il les a vus, de loin, sortir Damien dans la rue, le frapper puis le plaquer contre le mur. Il a vu les passants s'arrêter et lui, le père, passant parmi les passants, faisant semblant de rien, semblant d'être là par curiosité, par hasard, il a vu son fils relever la tête, il l'a vu essuyer le sang qui lui sortait de la bouche, il l'a vu regarder devant lui et soudain, comme une seconde qui interrompt son cours, entre le tic et le tac, leurs regards se sont croisés. Père et fils. Et là, dans cet incroyable soleil de janvier, ils se sont souri. Pourtant, tout était perdu car tous deux savaient que rien, pas un mot, pas un geste pour tenter de sauver ne devait être fait. Ils le savaient tous deux car tous deux, père et fils, savaient que ce qu'ils tentaient de défendre ensemble était plus important que le regard d'un fils vers son père et d'un père vers son fils. Puis, de nouveau, l'officier a frappé, puis frappé encore, exigeant du fils le nom de code de son père, de sa mère, les cachettes, les secrets, les réseaux, les noms et les circuits. Et le fils, toujours, souriait d'un sourire qui semblait dire, de loin : «Merci pour tout, mon père, pour cette vie fabuleuse, cette vie douloureuse, pleine de lumière. Tu vois ? Je ne te trahirai jamais.» L'officier a tiré trois balles à bout portant. Une balle dans le cœur, une balle dans le ventre et la dernière, il a voulu la tirer dans le sourire de Damien, son grand sourire d'enfant, mais l'enfant déjà avait réussi à cracher au visage de son bourreau avant de tomber au pied du mur et tombant au pied du mur, il tombait, à jamais, dans le chagrin de son père qui, passant parmi les passants, a dû faire semblant que cela, pour lui, n'était rien, qu'un terroriste de plus, un voyou, un renégat, un scélérat, une racaille, une canaille, un salaud. Et moi, je ne me doutais de rien! Damien, qui semblait si perdu, si égaré, si désintéressé, si effrayé, Damien, qui savait à peine danser mais qui voulait absolument danser et qui était aussi mon ami, Damien, le maladroit, était un résistant et je n'ai rien vu, rien! On n'a plus le choix! Ni toi, ni moi, ni Ludivine. On n'a plus le choix!

SARAH. Qu'est-ce que tu veux dire?

SAMUEL. Je veux dire que lui, cet ami, celui-là, il avait mon âge, il avait ton âge, il avait l'âge de Ludivine, il avait vingt ans et à vingt ans, il avait, lui, Damien, trouvé un sens à sa vie, sa place dans le monde! C'est important, non, de trouver un sens à sa vie et une place dans le monde quand on a vingt ans, non? et aujourd'hui, aujourd'hui, oui, là, maintenant, pas hier, pas avant-hier, non, maintenant, notre monde flambe, il flambe et son feu risque de nous emporter tous! Alors ce feu qui emporte notre monde, on va aller à sa rencontre et cette marche, on va la faire ensemble, tous les trois et elle sera, elle, cette marche, notre sens, notre lieu, notre place, notre havre, notre toit, toi, toi et moi. On n'a pas le choix. On ne peut pas abandonner Damien et s'extasier devant la noblesse de sa mort! On doit prendre le relais ou alors pas d'extase, rien, c'est-à-dire rien de rien, rien! Quel sens ça a, sinon, de dire à quelqu'un «je t'aime bien et tu es mon ami…»?

LUDIVINE. Samuel, tu as raison.

CHARLOTTE. Une organisation plus large les a d'abord testés à travers des missions liées au transfert d'aviateurs alliés. Puis, un jour, ils ont formé leur propre réseau et comme, dans leur langage, les aviateurs s'appelaient «les enfants», ils ont nommé leur réseau le réseau Cigogne.

AMBROISE. Pour le réseau Cigogne !

TOUS. Pour le réseau Cigogne !

d. INDUSTRIES KELLER

SAMUEL. Keller !

LUDIVINE. Installés à Strasbourg depuis 1850, ils fabriquent et fournissent les wagons et les rails pour transporter les prisonniers vers les camps. Si on pouvait connaître les commandes que les usines Keller reçoivent, on pourrait avoir une idée plus précise de ce qui se passe dans les camps.

MAYA. Qu'est-ce que tu veux faire ?

LUDIVINE. Il faut aller voir.

SAMUEL. Qui ira ?

LUDIVINE. Moi.

SAMUEL. Comment feras-tu ?

LUDIVINE. Je leur dirai que je veux peindre le monde ouvrier et qu'en cadeau, s'ils le désirent, je ferai un portrait de la famille Keller.

MAYA. Et si tu te fais attraper, on fera quoi nous ?

LUDIVINE. Je ne me ferai pas attraper.

SARAH. Tu pourrais très bien te faire attraper. Il y a des gens qui comptent sur toi, tu es au courant de tout, tu connais les noms, les dates, les lieux, les familles, tout ! Cela doit passer au-dessus de la quête de ton histoire, de tes origines.

LUDIVINE. Sarah, essaie de me comprendre. Qu'est-ce que c'est que d'avoir un secret sur la peau ? Les gens qui pourraient me répondre sont précisément ceux qui fabriquent les trains de notre malheur et tu me dis, à moi, que je ne devrais pas aller les voir, les rencontrer, leur parler ? Et si demain, un de ces trains t'emportait toi, ou emportait Samuel ? Comment je ferais, moi, pour survivre, sachant que mon véritable nom, peut-être Keller, est tatoué sur les rails de ces trains ? Je serai prudente. Regardez : faux papiers sous le nom de Ludivine Brouillard. De plus, regardez. Je me suis apporté un habit de camouflage. Avec cette robe, je passerai inaperçue. Personne ne pensera que je cherche à me cacher.

Robe rouge et rose. Téléphone portable.

e. TRAVAUX DE RÉNOVATION

BAPTISTE. Allô ? / Loup ? / En plein chantier de rénovation / Oui, j'ai prévenu tout le monde, tout sera prêt pour l'enterrement, il ne manquera plus que ta signature / Luce ? Tu crois que Luce voudra assister à l'enterrement de ta mère ? / Luce n'est pas sortie de son asile depuis trente ans et là tu crois / O.K., O.K., ce n'est pas un asile, mais c'est tout comme / Je ne vois pas pourquoi c'est si important de savoir qui est la mère de Luce / Demande-lui de toutes les façons tu en fais toujours à ta tête / Je sais que c'est sa fille, mais mettons qu'elle s'en est pas beaucoup occupé / Oui, je lui en veux, bien sûr que je lui en veux / Bon, là tu as décidé d'aimer ta grand-mère alors que tu ne connais rien de l'histoire… / Loup, Loup… ! Criss ! *(Il raccroche.)* Bon les gars débarrassez-moi de ça puis prenez votre break, après faudra défoncer ce mur-là.

SARAH. Samuel.

SAMUEL. Quoi ? Quoi ?... Mais quoi ?!

SARAH. Je suis enceinte.

Téléphone portable. Loup répond.

LOUP. Quoi ! / J'ai raccroché parce que tu m'écœures ! Tu m'écœures ! Calisse que tu m'écœures ! / On en revient toujours là ! / À elle, comme si elle était le centre du monde, comme si, parce qu'elle avait fait sacrifice de sa vie, elle était une héroïne / Mais ni moi ni Luce on compte à tes yeux ! Il n'y a que ton chagrin et ta peine qui noient tout, papa ! / Oublie le massacre de Polytechnique, et pense seulement au massacre qu'il y a au fond de toi ! Non, je ne me tairai pas : tant que tu ne te mettras pas dans la tête qu'au fond, ce que tu aurais voulu, c'est que maman avorte de moi, eh bien on ne parviendra pas à se parler, papa ! M'aimes-tu assez pour le reconnaître papa, assez pour me dire que j'ai raison ?

Loup raccroche.

SARAH. Je suis enceinte !

SAMUEL. C'est magnifique, Sarah. C'est magnifique.

SARAH. M'aimes-tu toujours, Samuel ?

Téléphone portable. Loup répond.

BAPTISTE. O.K. Loup. Tu as raison, tu as raison, Loup. Tu as raison.

LOUP. Merci ! Merci papa ! Papa, quand on voit quelqu'un pour la dernière fois, on ne sait pas qu'on le voit pour la dernière fois. Je ne veux pas que tu meures papa, je ne veux pas que tu meures, je ne veux pas ! Je t'embrasse.

Loup raccroche.

SAMUEL. Sarah Cohen ! Je t'aime ! Tu vois l'horizon là-bas. Je t'aime encore plus loin. Plus je t'aime, plus je t'aime. Tu comprends ! Aimer c'est aimer plus. Te dire mon amour pour toi est impossible puisqu'au moment même où je veux te dire «je t'aime» déjà je t'aime encore plus et il me faudrait le redire pour être à la hauteur de cette enivrante addition. C'est peut-être ça quand on dit que les mots ne sont pas assez forts. En fait, ce n'est pas qu'ils ne sont pas assez forts, ils ne sont simplement pas tout à fait rapides.

21. Sarah Cohen

a. SOLIDARITÉ

LUDIVINE. Tu dois te cacher !

SARAH. Me cacher, je ne veux pas, je ne veux pas me cacher !

LUDIVINE. Ils viendront et ils te prendront !

SARAH. Qu'ils viennent et qu'ils me prennent ! Ils ont pris mon père, ils ont pris ma mère, ils ont pris mes frères et mes sœurs et ils ont pris Samuel, ils ont pris les enfants et ils ont abattu les chiens, ils ont abattu les chats, ils ont tué les oiseaux et ils ont tout emporté avec eux : les cousins, les voisins, les amis et les proches et le lointain. Ils ont pris les arbres, les rues, et l'air. Ils ont pris l'air que l'on respire, ils ont pris l'air, l'air, ils l'ont pris, tout pris l'air, alors qu'ils viennent vite et qu'ils me prennent.

LUDIVINE. Non.

SARAH. Pourquoi non ?

LUDIVINE. Parce que tu es Sarah et que je ne veux pas te perdre ! Sarah, nos jours sont sombres et le seront de plus en plus, et demain nous pourrions être séparées ; promets-moi alors que, quoi qu'il arrive, il faudra sauver la vie de cet enfant. Promets-le-moi.

SARAH. Je te le promets.

LUDIVINE. Pense à cet enfant pas encore né et dis-toi que déjà il nous regarde. Moi qui ne pourrai jamais enfanter, Sarah, je me sens devant toi au midi de ma vie et au midi de toute mon histoire. Sauve-moi en restant vivante, je t'en prie.

b. LA VÉRITÉ

DOUGLAS DUPONTEL. Je viens de lire le dossier médical de Ludivine. Hermaphrodisme. S'il n'y a pas eu d'autres enfants, cela signifie que la lignée de la famille Keller se termine avec Ludivine.

LOUP. Mais si Luce n'est pas la fille de Ludivine, elle serait la fille de qui ?

DOUGLAS DUPONTEL. Elle serait la fille de Sarah Cohen. Samuel déporté et gazé, Sarah a voulu protéger sa fille en la confiant à un aviateur.

LOUP. Sarah Cohen a pourtant retrouvé Luce puisqu'elle lui a donné cette photo ! Pourquoi est-ce qu'elle ne lui a pas dit la vérité ?

DOUGLAS DUPONTEL. Luce était si convaincue d'être la fille de Ludivine.

c. AVIATEUR

LUDIVINE. Nous n'avons pas beaucoup de temps. Comment vous appelez-vous ?

DAVID A. STURTON. David A. Sturton.

LUDIVINE. À cinq heures ce matin, un homme va passer vous chercher. Il vous dira : « Long Island. » Vous répondrez : « Long Island est une histoire d'amour. » Vous comprenez bien le français ?

DAVID A. STURTON. *I understand better than I speak…*

LUDIVINE. Voici un bébé que vous allez emmener avec vous jusqu'en Amérique, vous allez sauver sa vie comme nous, nous sauvons la vôtre. Vous comprenez ?

DAVID A. STURTON. *Yes.*

LUDIVINE. Si quelqu'un vous demande son nom avant que vous ne soyez en Amérique, vous direz qu'elle s'appelle Luce Brouillard et qu'elle est la fille de Ludivine Brouillard. O.K. ? Voici de faux papiers pour l'enfant. Quand cette guerre se terminera, vous lui direz que sa mère reviendra la chercher. Vous lui direz.

DAVID A. STURTON. Oui.

LUDIVINE. C'est l'heure. Allons-y.

SARAH. Non.

LUDIVINE. Sarah, on ne peut plus tarder. Donne-lui Luce.

SARAH. Non !

LUDIVINE. Aidez-moi !

SARAH. Je ne peux pas, je ne peux pas… Luce… Luce… Luce…

LUCE. Qui êtes-vous ?

SARAH. Je vous ai cherchée partout depuis des années et j'ai fini, hier, par vous trouver. Je vous ai vue boire et danser et pleurer et vomir et vous évanouir. Je vous ai amenée ici, je vous ai nettoyée, lavée, je vous ai déshabillée, je vous ai soignée, mais je n'ai pas osé vous prendre dans mes bras par peur de vous réveiller. J'ai bien connu Ludivine. J'étais avec elle lorsque l'on vous a remise à l'aviateur car votre vie était en danger. Il a fallu vous arracher à votre mère. Vous voulez voir son visage ? Voici une photo du réseau de résistance auquel on appartenait. Le réseau Cigogne. Ludivine est là. Je suis à ses côtés. L'homme qui est là, c'était votre père. Il s'appelait Samuel. Il a été arrêté, déporté et assassiné comme tous ceux qui se trouvent sur cette photo. La photo a été prise alors que votre mère était enceinte de vous. Vous étiez avec nous.

LUCE. Pourquoi est-ce qu'elle n'est pas revenue me chercher ?

SARAH. Elle n'a pas pu.

LUCE. Pourquoi elle n'a pas pu ? Qu'est-ce qui est arrivé à Ludivine ?

SARAH. Votre mère n'est pas… Ludivine a été arrêtée et tuée la tête fracassée à coups de marteau dans le camp de concentration de Treblinka en mai 1944 et depuis sa mort, je me sens coupée d'une partie de moi car Ludivine était ma meilleure amie. Je vous retrouve car par ici tout le monde vous appelle « la fille de Ludivine » et Ludivine serait bouleversée de voir combien vous la portez dans votre cœur, combien vous lui êtes restée fidèle. Elle vous mérite et vous la méritez et je voudrais tant vous apporter une consolation, mais je ne peux rien vous dire d'autre que son nom. Ludivine Brouillard s'appelait Ludivine Davre. Gardez cette photo, Luce. Elle est à vous.

Téléphone.

LUDIVINE. Allô ?

LUCE. Vous ne m'avez pas dit votre nom…

SARAH. Sarah Cohen et un jour, Ludivine a sacrifié sa vie pour sauver la mienne.

Ludivine raccroche.

22. Ludivine Davre

LUDIVINE. Sarah, Sarah, c'est perdu !

SARAH. Quoi ?

LUDIVINE. Ambroise n'a pas pu nous rejoindre parce qu'en arrivant il les a vus cerner notre immeuble, les a entendus prononcer ton nom et le mien.

SARAH. Que s'est-il passé ?

LUDIVINE. Ambroise a reçu un message l'informant que David A. Sturton, l'aviateur américain, et le passeur ont été arrêtés au passage des Pyrénées.

SARAH. Non ! Luce ?

LUDIVINE. Elle a été confiée de justesse à un autre aviateur qui a réussi à fuir !

SARAH. Quel aviateur ?

LUDIVINE. On ne sait pas, ils ont dû faire très vite !

SARAH. Comment je ferai pour retrouver Luce !?

Téléphone.

LUDIVINE. Allô ?... Quand tu les verras entrer, appelle-nous, fais sonner un coup et raccroche et puis va-t'en !... Ils se préparent à entrer dans l'immeuble !

SARAH. Le passeur a dû être torturé.

LUDIVINE. Calme-toi ! Quels papiers as-tu sur toi ?

SARAH. Mes papiers. Avec mon nom. Sarah Cohen !

LUDIVINE. Donne-les moi. J'arrache ta photo. Je la colle sur mes papiers à moi ! J'arrache ma photo, je la colle sur tes papiers à toi !
Tu vas devenir Ludivine Davre et je vais devenir Sarah Cohen…

SARAH. Ça ne sert à rien, on sera prises toutes les deux !

LUDIVINE. Si tu t'appelles Ludivine Davre tu as une petite chance de t'en sortir, mais si tu t'appelles Sarah Cohen tu n'en as aucune.

SARAH. Non ! Non, non, non… tu ne peux pas !

LUDIVINE. Sarah, comment je pourrais faire pour vivre sans toi ?

SARAH. Et moi, comment je pourrais faire pour vivre sans toi ?

LUDIVINE. Sarah ! Réfléchis ! Toi tu pourras encore donner la vie, mais moi, tout ce que je peux faire, c'est donner la mienne et à qui d'autre je voudrais la donner si ce n'est à toi ? Tu ne peux pas m'enlever ça, tu comprends ?

Téléphone. Un coup.

LUDIVINE. Ils arrivent, Sarah !

SARAH. Je ne peux pas !

LUDIVINE. Pense à Luce, pense à Samuel et à tous ceux-là qui viendront après nous grâce à toi, grâce à toi, Sarah ! Écoute : dans notre situation,

154

dans notre époque qui assomme toute beauté, toute voix, toute aspiration, il faut aller en ligne droite, et sans dévier, vers la cible pour l'atteindre à la fine pointe acérée de la flèche et ainsi frapper en plein cœur le chagrin. Si tu refuses, Sarah, si tu refuses l'évidence, tout sera inversé ! Celle qui peut donner la vie sacrifierait la sienne pour sauver celle qui ne peut pas la donner ? Tu réalises l'aveuglement ? Sarah, j'ai tout vécu avec toi, et par toi, et grâce à toi, ma vie aura été, malgré tout, une flamme, une vague, une plage, un souffle. J'ai tout pleuré par toi, j'ai tout aimé par toi, j'ai tout ri par toi, j'ai tout compris par toi et j'ai tout appris par toi et tu ne veux pas que je meure pour toi ? Sarah, je t'en prie, ne crains pas car je vivrai tout ce qui m'attend avec force puisque je me dirai à chaque instant « ce que je vis je l'épargne à Sarah, ce que je souffre je l'épargne à Sarah », alors rien ne me fera trembler, je te jure, te le promets !

SARAH. Ludivine ! C'est impossible !

LUDIVINE. Sarah, un jour quelque chose viendra témoigner de ce que toi et moi nous aurons fait l'une pour l'autre et aura le visage de notre jeunesse sacrifiée. Et alors, toi et moi, moi et toi, on aura tordu le cou au destin en tenant nos promesses jusqu'au bout : vie sauvée, vie perdue, vie donnée. Promets-le-moi !

SARAH. Ludivine…

LUDIVINE. Promets-le-moi…

SARAH. Vie sauvée, vie perdue, vie donnée…

LUDIVINE. Promets-le-moi…

SARAH. Je te le promets…

LUDIVINE. Ludivine, regarde-moi, je suis Sarah, c'est moi !

Ludivine emportée. Crâne fracassé à coups de marteau.

LE CŒUR DE LOUP

23. Douglas Dupontel

Montréal. Vent.

DOUGLAS DUPONTEL. Une femme sauve la vie à une autre femme. Elles ne sont ni du même ventre, ni du même sang et rien ne les rattache l'une à l'autre. Pourtant, l'une choisit tout de même de donner sa vie pour sauver celle de l'autre. Pourquoi?

LOUP. Pourquoi?

DOUGLAS DUPONTEL. Pourquoi Ludivine fait-elle sacrifice de sa vie alors que rien ne la rattache à Sarah? ni sœur, ni mère, ni fille. Deux générations plus tard, Ludivine laisse une trace d'elle-même dans le corps des enfants de Sarah : un os flottant au milieu d'un esprit. Comment appelle-t-on cela, Loup?

LOUP. Comment?

DOUGLAS DUPONTEL. Êtes-vous Loup Keller? Êtes-vous Loup Cohen? Ou la rencontre entre Keller et Cohen? Qu'est-ce qui est vrai? Nous cherchons toujours nos origines en remontant le fil qui nous rattache à notre sang et c'est dans le sang que mon père a tenté de trouver le visage de ce crâne. Il ne pouvait pas savoir que la réponse se situait en dehors de la sphère scientifique, puisque vous êtes autant la fille de Ludivine que celle de Sarah. Il ne pouvait pas savoir que ce visage recherché se situait dans cela qui nous dépasse et nous émeut à chaque instant, cela que Ludivine et Sarah ont connu, que des générations ont connu avant elles et que d'autres connaîtront encore, sans que personne ne parvienne à l'expliquer jamais, le justifier jamais, le rationaliser jamais.

LOUP. Amitié.

DOUGLAS DUPONTEL. Amitié. Comme vent dans le ciel. Regardez. Il chasse déjà les nuages. Le jour où mon père est mort, il y avait un vent identique. Une clarté bouleversante. Comme une consolation.

LOUP. Vous allez repartir?

DOUGLAS DUPONTEL. Il faut bien. Un musée de pantalogie au complet compte sur moi.

LOUP. Paléontologie. Musée de paléontologie. Cet après-midi, il y aura l'incinération de ma mère.

DOUGLAS DUPONTEL. Vous n'avez plus besoin de moi.

LOUP. On ne se reverra plus alors.

DOUGLAS DUPONTEL. On s'enverra des mails. J'ai votre adresse, toutemecœuretoutemefaitchier.

LOUP. Vous allez me manquer.

DOUGLAS DUPONTEL. J'ai un petit cadeau pour vous.

Loup sort un manteau magnifique du sac que Douglas lui tend.

DOUGLAS DUPONTEL. Ce n'est pas dans votre palette de couleurs, mais je serais heureux de savoir que vous le porterez.

LOUP. Je le porterai. Je vous le promets.

DOUGLAS DUPONTEL. Loup, si j'avais eu une fille, j'aurais voulu qu'elle soit comme vous. Si jamais vous avez besoin de moi, je serai toujours là. Loup, je ne vous abandonnerai jamais.

LOUP. Je sais.

DOUGLAS DUPONTEL. Loup, regardez-moi : je suis Douglas, c'est moi.

24. Le cœur de Loup

Enterrement d'Aimée.

LOUP. Maman,
Ton corps enfin dans la terre,

Je vois un horizon complet se dégager devant moi
Et c'est effrayant
Effrayant de grandeur et de profondeur
Je vois tout à coup l'espace qui s'en va là-bas
Jusqu'au nord
Jusqu'au sud
Jusqu'à l'est
Et jusqu'à l'ouest.

Maman,
Tu m'offres le monde
Et le monde est grand
Mais puisque tu as choisi de me le donner
Je choisis de le prendre !
Nous ne savions pas qui nous étions
Et j'aurais voulu mieux te connaître
Mais nous ne pouvions pas savoir,
Tant d'enfance abandonnée
Tant d'amour donné
Repris
Redonné rapté
Nous ne le pouvions pas !

Maman,
J'entends la marche du temps auquel j'appartiens
Et même si
Aujourd'hui encore
L'hécatombe semble si proche de nous,
Même si j'entends la rumeur inquiétante d'une
guerre,
Je sais que je suis Loup et que mon cœur a traversé
le siècle.

Maman,
Où s'arrête notre cœur ?
Jusqu'où son battement peut-il se faire entendre ?
Le mien bat jusqu'à la nuit des temps
Pour enfin rallumer la lumière
Et sortir toutes nos enfances des ténèbres.

Maman,
Je te parle à la faveur d'un magnifique printemps,
Sans savoir si tu m'entends ou non,
Pour tenter de te dire ce qui ne peut pas être dit.
Car comment dire l'abandon d'un enfant par sa
mère ?
Et l'abandon de sa mère par sa mère
Et de la poésie par les hommes
Et des hommes par les hommes
Et les hommes par les Dieux
Et les Dieux par la joie ?
Et la joie mise en cendres
Trame d'hiver
Effroyable anéantissement !

Maman,
Depuis toujours,
L'orage gronde dans nos vies,
La mienne qui commence
La tienne qui se termine.
Moi qui croyais être liée par mon sang au sang
de mes ancêtres
Je découvre que je suis liée par mes promesses
Aux promesses que vous vous êtes faites.
Et que vous avez tenues.

Vie sauvée, vie perdue, vie donnée.
Lorsque je serai en proie au tourment,

Je répéterai vos noms comme un talisman contre le malheur.

Odette, Hélène, Léonie, Ludivine, Sarah, Luce, Aimée, Loup
Comme une promesse tenue à jamais.
Et que je répète à mon tour
À celle qui viendra après moi
Pas encore née
Mais qui se souvient déjà de mon visage
Je ne t'abandonnerai jamais.
Je ne t'abandonnerai jamais.
Je ne t'abandonnerai jamais.

Fleurs.

Fin.

CRÉDITS

La citation d'Héraclite (p. 9) provient du livre de Giorgio Colli, *Les origines de la sagesse grecque*, publié aux Éditions de l'éclat ; le verbatim du reportage sur les événements de Polytechnique (p. 35-36) a été diffusé dans le cadre du Téléjournal du 6 décembre 1989 sur les ondes de la radio de Radio-Canada ; les extraits des poèmes de Robert Davreu, intégrés aux propos d'Edmond le girafon (scènes 14 et 17), sont tirés de ses recueils *Trame d'hiver* (Belin) et *Il ne voulait rien peindre* (Éditions Seghers).

POSTFACE

Charlotte Farcet

«JE SUIS *FORÊTS*»

Forêts est un puzzle au long cours. Au hasard du temps et des chemins, des pièces sont apparues, fragments d'un visage qui s'est plu à jouer avec la lumière, à multiplier ses reflets. Partie de cache-cache qui rappelle celle «entre deux Tchécoslovaques», pièce écrite en 1991[1] : Wajdi Mouawad y mettait en scène Franz Kafka et un roman fictif, *Forêt*. Entré dans une forêt pour se protéger, K. ne pouvait plus en sortir : «K. allait à cheval à travers la forêt. Il était égaré. Incompréhensiblement égaré, car peu de temps auparavant il marchait encore sur un chemin qu'il n'avait jamais perdu de vue». Était-ce la première pièce du puzzle ? Le premier visage de *Forêts* ? Troublante coïncidence car *Forêts* se présente à Wajdi Mouawad neuf ans plus tard en République tchèque précisément, créant cette sensation d'effroi et d'égarement qui parviendra jusqu'au spectateur.

Les mots d'Ernst Pollak dans *Partie de cache-cache entre deux Tchécoslovaques* pourraient être ceux de *Forêts* : «Mon nom est une aventure. Mon visage

---

1. *Partie de cache-cache entre deux Tchécoslovaques*, inédit.

un labyrinthe[2]. » *Forêts* déroute. Labyrinthe, fosse, gouffre, abîme, elle se refuse à la prise et à l'évidence, multipliant les sensations d'elle-même jusqu'à la contradiction. Le cahier de répétitions lui-même a disparu. *Forêts* crée un ravissement, tout à la fois rapt et enchantement, qui conduit sans que l'on comprenne comment à la rive opposée : emporté au cœur d'une tempête, on échoue sur une grève calme à l'air salé, où règne le silence des terres submergées dont la mer vient de se retirer.

Forêts porte son contraire. Elle qui se donne avec tant de violence et appartient tant au plein, est aussi à chercher dans le vide. Au négatif de sa présence surgit un espace de flottement, où le spectateur éprouve son existence, et l'écriture découvre un ailleurs. « Nature aime se cacher », prévient Héraclite en exergue. Nous réemprunterons les sentiers de la création pour nous attacher à cette manière d'être si singulière, à ce « Je suis *Forêts* ».

VISAGES

LUCIEN

Le premier éclat de *Forêts* apparaît en février 2000. Il précède la rencontre d'*Incendies*. En compagnie de Marek Sečkař, traducteur de *Littoral*, et de Pavel Řehořik, éditeur, Wajdi Mouawad traverse les plaines tchèques en voiture, en direction d'Olomouc où doit se tenir une lecture de *Littoral*. À l'heure du déjeuner,

---

2. *Idem,* Archives personnelles de Wajdi Mouawad, p. 3.

ils s'arrêtent devant un McDonald's ; des champs de betteraves s'étendent à perte de vue. « Sais-tu ce que tu as devant toi ? », lui demande Marek Sečkař. Wajdi Mouawad hoche la tête : « Non. » « La bataille d'Austerlitz ». Un vertige le saisit : comment le croire ? Comment croire qu'« ici » a eu lieu cet « hier », qu'en ce lieu anodin, à peine remarquable, s'est joué un destin ? Le temps se contracte brutalement et dans ce rapprochement surgit un soldat, sortant d'Austerlitz, qui se retrouve devant un McDonald's. Fragment dont la force tient à la fulgurance et qui le submerge avant de disparaître sous le flot du quotidien.

De longs mois plus tard, Wajdi Mouawad séjourne à Vagnas, en Ardèche. Un matin, réveillé aux premières lueurs du jour, il erre dans le village et atteint le cimetière. Il passe d'une tombe à une autre et l'une d'elles l'arrête : Lucien Blondel, 1856-1949. Ces dates l'impressionnent, l'homme a vécu près de cent ans et a traversé « trois guerres qui ont précipité le monde dans une haine et une remise en question de l'humanité sans commune mesure[3] » : la guerre de 1870, la Première Guerre mondiale, la Seconde Guerre mondiale. La haine franco-allemande qui si longtemps a ravagé l'Europe rappelle à Wajdi Mouawad le Moyen-Orient, tout en lui offrant un espoir puisque les deux pays, réconciliés, se sont unis pour fonder l'Europe et faire front cinquante ans plus tard contre la guerre en Irak. Devant cette tombe, il retrouve le vertige d'Austerlitz : comment l'ampleur d'un tel désastre peut-elle se concentrer dans la vie d'un homme ? Les deux lieux se fondent en une nouvelle prémisse : un homme, Lucien Blondel,

---

3. *Le Sang des promesses*, Actes Sud/Leméac, 2009, p. 62.

déserte les tranchées de la Première Guerre en fuyant à travers une forêt et, lorsqu'il en sort, il se heurte à un McDonald's.

De retour à Montréal, Wajdi Mouawad raconte cette rencontre à un ami, François Ismert, qui lui fait réaliser que Philippe Pétain a traversé lui aussi ces années, avant d'ajouter : « On oublie souvent qu'Arthur Rimbaud avait à peine deux ans de plus que Pétain ». Une nouvelle pièce se présente et Wajdi Mouawad voit trois enfants, Arthur, Philippe, Lucien, jouant ensemble aux billes : interrompus par l'intervention de l'armée prussienne, ils abandonnent leur terrain de jeu et se précipitent dans trois directions différentes. L'un deviendra le grand poète de son pays, l'autre le grand traître, le troisième le grand inconnu.

C'est en cet instant que naît la sensation d'un spectacle. Dans le bruissement de ces phrases, Wajdi Mouawad entend le murmure d'une voix, annonciation d'une histoire dont il ne sait presque rien et qui convoque plus de cent ans : « Je suis *Forêts*. L'histoire de cinq hommes qui, durant la Première Guerre mondiale, en 1917, décident de déserter. Ils quittent les champs de bataille et vont se protéger dans une forêt. L'un deux s'appelle Blondel. Il sera le seul survivant[4] ». *Forêts* naît du temps.

LÉON

L'« Histoire » appelée par *Forêts* n'est pas familière à Wajdi Mouawad. Pour la première fois, l'Europe apparaît. S'il y a habité enfant quelques années et y

---

4. « Forêts – approche 03 », Archives personnelles de Wajdi Mouawad.

a souvent séjourné, elle lui reste en partie étrangère. Au milieu d'autres projets, il entame des recherches, sans avoir de but précis, intrigué. Sous le regard de *Forêts*, il établit des directions – histoire des hommes, histoire de l'art, histoire des sciences, histoire de la pensée, histoire de la technique – et s'immerge dans des lectures qui, dans l'addition des mois et des années, deviendront considérables. La bibliothèque de *Forêts* est elle-même une forêt.

Ce qui dans son esprit était imprécis s'éclaire : l'histoire de la France et de l'Allemagne, depuis Charlemagne jusqu'à la chute du mur de Berlin, Bismarck, Jaurès, Pétain, l'histoire des tranchées, de l'Alsace-Lorraine, de la Première Guerre, de la Seconde, des camps, des réseaux de résistance, de l'engagement du Canada ; l'histoire de la révolution industrielle, l'histoire des enfants, l'histoire de la médecine, la découverte de l'inconscient.

> [...] un individu passant à travers cette période traverse la plus violente du point de vue de l'éclatement des arts : Proust et Joyce en littérature, Rodin en sculpture, Cézanne et Picasso en peinture, Berg et Schönberg en musique, Nijinski et Diaghilev en danse, Stanislavski et Tchékhov en théâtre. C'est aussi la naissance du cinéma, la découverte de l'électricité. C'est aussi *L'Interprétation des rêves* de Freud et c'est *Le Capital* de Marx. Ce sont deux révolutions et un crash boursier. Bref, une aventure dont nous n'avons pas fini de ressentir l'onde de choc[5].

C'est aussi la découverte de la mécanique quantique et de la théorie de la relativité. Soucieux de les comprendre, Wajdi Mouawad reprend l'histoire

---

5. *Le Sang des promesses*, *op. cit.*, p. 62.

de la physique à ses débuts. Il lit *La Révolution copernicienne* de Kuhn et les œuvres de Newton, dont les travaux répondent aux questions qui depuis longtemps habitaient les hommes : « Pourquoi les corps chutent-ils ? », « Pourquoi tiennent-ils ? ». Il poursuit par des ouvrages sur la mécanique quantique et la relativité. Peu à peu il perçoit le paradoxe dans lequel vivent les scientifiques et les mathématiciens d'aujourd'hui : la non-adéquation ou la non-coïncidence entre la perception et la réalité mathématique, d'une abstraction telle que l'œil ne peut la saisir, la distance entre le visible et le comportement de la matière. Si la découverte de la physique newtonienne lui permettait de comprendre ce qu'il voyait – les étoiles, le mouvement des planètes, la chute des corps – la découverte de la mécanique quantique lui révèle un monde et des comportements qu'il ne peut appréhender. Il passe donc d'un monde que l'on pourrait dire « symétrique » – un principe rencontre une application concrète dans le monde qui l'entoure – à un monde asymétrique, où sa propre observation est défaillante.

L'expérience – théorique – du chat de Schrödinger le frappe. Un chat est enfermé dans une boîte ; sous une cloche de verre se trouve du fromage empoisonné ; la cloche est suspendue à une corde, au-dessous de laquelle est placé un foyer de combustion. La physique newtonienne permet de calculer l'instant où la corde cèdera et le chat mourra. L'instant qui précède, le chat sera encore vivant. Mais entre ces deux instants, dans l'infiniment petit qui les sépare, que se passe-t-il ? Selon les lois de la physique quantique, le chat est à la fois mort et vivant. En cet instant l'univers se scinde en deux : un univers dans lequel le chat est vivant, un univers dans lequel le chat est mort. Ces deux univers sont possibles et existent. Ainsi – du moins c'est «ainsi» que le comprend Wajdi Mouawad – l'univers ne cesse de se scinder en une infinité d'univers parallèles, dont nous n'avons pas le soupçon.

Le comportement de la matière décrit par la mécanique quantique le marque également : la matière serait faite de vide et d'électrons, d'électrons en mouvement, d'un mouvement aléatoire. Si une balle est envoyée contre un mur, il existe donc, selon les lois de la mécanique quantique, une probabilité, infime mais réelle, que tous les électrons du mur se déplacent au même instant dans une même direction et laissent la balle passer à travers lui.

Le monde qui surgit est un monde de probabilité, fait de vide et d'échappées, dont le visible n'est qu'une surface. Wajdi Mouawad comprend la nature de *Forêts* : alors qu'*Incendies* était newtonienne, obéissant à la ligne et à la gravité, *Forêts* est plurielle, complexe, quantique.

À côté de ces lectures organisées, d'autres, hasards du quotidien, ont été faites. C'est le cas de la bande dessinée *Zoo* de Frank et Bonifay, qui fait naître l'espace éponyme où échoue Lucien au terme de sa fuite : un zoo au milieu d'une forêt, sourd aux rumeurs de la guerre, une arche, un asile construit pour échapper à la folie des hommes.

Lecture après lecture, mois après mois, des fragments apparaissent, puis des chemins qui ouvrent sur d'autres chemins. Et de ce long commerce émerge une histoire. Les premiers documents décrivant le projet la présentent en trois «Livres[6]». Le premier, «posé comme une

---

6. L'un d'eux est publié dans *Le Sang des promesses*.

hypothèse », raconte la désertion de Lucien : épuisé par sa course, il s'évanouit et se réveille dans une maison au milieu d'un zoo ; il y rencontre trois femmes, tombe amoureux de l'une d'elles ; de leur union naît un enfant, Léon. Mais hanté par la guerre, Lucien décide de regagner le champ de bataille : il rejoint la rivière, retraverse la forêt, en sort enfin et arrive dans un champ. Là, pas de guerre, mais un bâtiment étrange, à l'architecture effrayante : un McDonald's. Le Livre 2, « posé aussi comme une hypothèse », raconte l'histoire d'une femme à Montréal, au début du XXIᵉ siècle, victime d'une crise d'épilepsie ; d'urgence elle est conduite à l'hôpital et opérée ; au cours de cette opération, elle rêve qu'elle est dans un zoo et accouche d'un enfant. Le Livre 1 correspond à son rêve opératoire. Le Livre 3, « posé davantage comme une sorte de certitude, de nœud focal » évoque cet enfant, Léon, né en 1917 dans un zoo, qui traversera le siècle, deviendra paléontologue, prendre part à la Résistance et finira par rencontrer sa mère mourante qui n'a jamais eu d'enfant. L'histoire serait donc celle d'un homme, Léon, chat de Schrödinger, qui existe et n'existe pas.

LOUP

L'histoire que nous connaissons surgit de la fraction d'un instant. Alors que les répétitions approchent, Wajdi Mouawad se heurte à un nœud. Il pressent que quelque chose ne tient pas : comment par les moyens du théâtre raconter l'histoire d'un homme qui existe et n'existe pas ? Comment raconter sa naissance, son enfance, son parcours jusqu'à le conduire devant une femme et soudain tout annuler ? *Forêts* glisse une

174

nouvelle pièce : parmi ses lectures, Wajdi Mouawad découvre l'existence d'un phénomène physiologique invraisemblable, la « cannibalisation » d'un fœtus par son jumeau. Celui-ci, poursuivant son développement, l'intègre à son organisme. Cette image frappe et le conduit à l'os, un os apparu dans le crâne de la femme de Montréal venu du crâne d'une femme tuée dans un camp. Les fils se renouent, le « nœud focal » est retrouvé et tout s'emboîte. Wajdi Mouawad compte le nombre de générations qui séparent 1870 de nos jours. Sept : Odette, Hélène, Léonie, Ludivine, Luce, Aimée, Loup.

Il ordonne alors le fruit de ses recherches, comme on rassemble les pièces d'un puzzle. Dans un « document maître » de plus de deux cents pages, selon l'ordre chronologique de l'histoire, il réunit des textes de nature scientifique, historique, littéraire, qui évoquent les lieux du récit. Sont présentés la révolution industrielle du XIXᵉ siècle, l'invention de la machine à vapeur, les conditions de travail des enfants, les guerres franco-allemandes, l'histoire d'Alexandre Pelé, garde mobile en 1870, l'histoire de l'Alsace-Lorraine, des malgré-nous, du Ahnenpass, le mythe de Dionysos, l'orphisme, l'histoire de Janusz Korczak, éducateur et poète qui prit soin d'orphelins juifs du ghetto de Varsovie et fut déporté avec eux à Treblinka, le zoo, la lycanthropie, le loup-garou, le cannibalisme, l'histoire de la Première Guerre, le discours de Jean Jaurès en 1914, le mythe de Thésée et du Minotaure, l'épilepsie, la bestialité, la Mutuelle de l'Orphelinat des Chemins de Fer Français, le réseau Comète, un extrait du livre de *Judith* relatant l'épisode de Judith et Holopherne dans l'Ancien Testament, le Canada dans la Seconde Guerre mondiale, les camps, l'exhumation des charniers, les techniques de reconstitution faciale, le mythe de Pygmalion, le crâne et le cerveau humain, la tribu amérindienne des Micmacs, la Gaspésie, la dentition, la tragédie de Polytechnique, la chute du mur de Berlin, la radiographie, le scanner, l'échographie, l'IRM, le cancer, la grossesse et le cancer, la douleur, l'os, le gothisme, la magie blanche et la cabale. Terres innombrables qui révèlent l'ampleur des recherches ; somme de textes, de photographies, de tableaux qui déroulent les paysages de l'histoire et que viennent ponctuer, comme des marqueurs du temps, les visages des personnages : Odette, Albert, Edgar, Hélène, Léonie, Lucien, Edmond, Jeanne, Marie, Léonie, Ludivine, Douglas, Sarah, Luce, Achille Volant, Aimée, Bernard, Loup, Raymond. Bernard, plus tard, sera renommé Baptiste et Raymond Douglas.

Lorsqu'il rencontre son équipe en juin 2005 – acteurs, collaborateurs, concepteurs – Wajdi Mouawad leur livre ce qu'il sait et leur remet ce document. Assis autour d'une table, pendant six semaines – jamais Wajdi Mouawad ne passera tant de temps ainsi – tous plongent dans le récit. *Forêts* est assise avec eux. Chaque nœud, chaque fragment est scruté, d'Alexandre à Albert, d'Albert à Odette, d'Odette à Léonie, de parent à enfant jusqu'à Douglas et Loup. Descendant pas à pas le fil de l'histoire, ils comprennent que Luce ne peut être la fille de Ludivine, schéma généalogique trop évident et trop pesant. Qui était la mère de Luce ? Sarah. Dans un instant magique, à travers la bouche de François Ismert, est apparu le sourire de *Forêts*. Cet instant, dans la mémoire des acteurs, des collaborateurs, reste la clef de ces longues semaines, car alors s'est révélée *Forêts*.

Il existe parmi les archives un document rédigé au terme de ces six semaines qui permet de découvrir l'histoire déployée. Dans l'ordre chronologique, il la rapporte «scène à scène», au présent de chacun. Il frappe par sa précision, s'attachant au moindre détail, au moindre instant, jusqu'à celui subreptice d'une déchirure, jusqu'au mouvement d'une ombre sous une porte. Il raconte l'enfance et la vie d'Albert, d'Hélène, d'Edgar, d'Edmond, de Léonie, de Ludivine, de Luce, d'Aimée et de Loup. On plonge dans le cœur des personnages, dans la solitude d'un petit garçon au sein de l'univers industriel de son père, dans la générosité de Ludivine, séparée des autres à l'orphelinat à cause de sa différence, dans l'amour de ses parents adoptifs, Louis et Rose, qui l'aideront à retrouver ses origines, dans l'attente déchirante de Luce, petite fille de trois ans qui prie dans l'espoir que sa mère vienne la chercher, prie jusqu'à s'épuiser.

De ce document nous ne proposerons qu'un extrait, par contrainte : son ouverture, cri de *Forêts* à peine née. Albert a six ans et son monde se déchire[7].

Un enfant de six ans, endormi dans son lit, est éveillé au milieu de la nuit par un cri. Attentif et seul, il entend des bruits de pas dans le corridor qui jouxte sa chambre. Quelqu'un dit des choses en hurlant. C'est loin et proche. De nouveaux bruits de pas, une course à travers le corridor, des pleurs, des cris puis un coup de pistolet. Un cri de mort puis un autre coup de pistolet. D'autres hurlements. Dans le corridor, on fait de la lumière. L'enfant voit les ombres se profiler sous sa porte, pour se projeter, longues et mouvementées, sur les murs de sa chambre. De temps

---

7. Ce «scène-à-scène» a été rédigé par Valérie Puech, responsable de la tenue du texte lors des répétitions de *Forêts*. Il appartient aux archives personnelles de Wajdi Mouawad.

en temps il entend clairement un mot, et puis ça redevient incompréhensible. La porte de sa chambre s'ouvre avec fracas, une domestique vient vers lui en courant. Elle l'habille et l'entraîne. Sortant de la chambre en courant, il voit passer dans le corridor des gens dans un état de panique. Il veut se retourner mais il est emporté au loin par la main ferme qui le tient. Dehors, un fiacre est là, dans lequel on le pousse. Au cœur de cette nuit étoilée, il se voit entraîné au galop vers une autre maison, chez une tante. […] On le cajole, on le couche. Une étrange fin de nuit où il demeure les yeux ouverts. Pour la première fois de sa vie, il voit le jour se lever. Au matin, sa famille est d'une grande sollicitude avec lui, […] bien qu'on ne lui explique pas la raison de sa présence ici ni la source des événements de la nuit passée. Et parce que ce n'est pas dans son éducation, il ne cherche pas à savoir car on ne demande rien aux adultes lorsque l'on est un enfant.

Deux jours plus tard, la même domestique vient le rechercher. On l'habille avec un beau costume et il repart à la maison. Dans la cour, une série de fiacres attendent. Les gens parlent en chuchotant. Il entre dans la maison, et dans la pièce principale il découvre le corps de sa mère morte, étendue sur une table en pierre, exposée au regard des autres qui se recueillent devant elle. Son père est là, dans un état second. À son entrée, les personnes présentes se tournent vers lui, une femme qu'il ne connaît pas vient vers lui en pleurant et l'embrasse. [À l'opposé], des gens imposants parlent une langue qu'il ne comprend pas. Il lui semble qu'ils parlent allemand, cette langue avec laquelle sa mère chantait parfois pour l'endormir. La domestique leur dit "voici votre petit-fils". Il est regardé froidement. Puis la voix de son père brise cet instant pesant : "Albert, allez embrasser votre mère une dernière fois". Il refuse. Il est terrifié. Le père se lève, le soulève avec une force implacable jusqu'au cadavre de sa mère et le force à embrasser les lèvres froides de sa mère. La procession part pour l'enterrement sous un soleil de plomb. Lorsque le prêtre, catholique, commence la prière, ce grand-père qui lui est inconnu répond en allemand, avec colère, au sermon du prêtre. On tente de le calmer, mais emporté par sa peine, il est pris par une crise de furie lorsque le cercueil de sa fille est mis en terre. L'enterrement se termine dans un chaos au cours duquel Albert voit son père pris à partie violemment par la famille de sa mère. [Sur] le chemin du retour, un homme vient vers Albert, se penche vers lui, lui sourit, et lui dit qu'il sera toujours là pour lui comme il a toujours été là pour sa mère. Albert au cours de cette journée a entendu, à plusieurs reprises, le mot "suicide".

C'est à partir de cette histoire que s'engage l'écriture.

L'EFFROI

L'histoire est vertigineuse. Née du temps, *Forêts* est tentaculaire ; elle embrasse sept générations, traverse cent cinquante ans, et les horreurs d'une Histoire qui ont fondé le monde contemporain. Tout s'y multiplie et s'y démultiplie, naissances, morts, abandons. Les silences s'additionnent, celui d'Alexandre sur la mère d'Albert, celui d'Odette sur le père de ses premiers enfants, celui de Luce sur sa mère. Les jumeaux sont au nombre de six, Edgar et Hélène, Léonie et son frère monstrueux, Aimée et l'embryon qu'elle a intégré à son organisme. L'inceste commis par Albert se répète dans le viol d'Edgar, dont la colère répète celle de son père contre son propre père. La folie brise Odette, Edmond, Luce. Dans l'égarement de ces vies, les quêtes se succèdent : Ludivine, bien avant Loup, part à la recherche de ses origines, Edmond cherche ce qu'il est advenu du zoo et Douglas tente d'achever le travail de son père. Quête sur quête, abandon sur abandon, mort sur mort, guerre sur guerre, le temps se courbe et devient circulaire, traçant des boucles dont les échos sont comme des points de contact.

Tout au long de la création, entre vertige et effroi, Wajdi Mouawad a eu la sensation d'avancer pas à pas dans une obscurité toujours plus grande, sentant la mâchoire de *Forêts* sur sa gorge, prête à mordre s'il défaillait. *Forêts* était une bête monstrueuse, hyène aux crocs acérés, avide de dévorer. « Je me sens comme ça », écrivait Wajdi Mouawad à Chambéry, « reniflé par une énorme monstruosité[8]. » « Je ne sais plus rien du monde. Partout autour, les montagnes, neige éternelle et vacanciers de passage. Jean-Jacques Rousseau s'y est souvent promené en solitaire, sa maison n'est pas bien loin, rue Jean-Jacques-Rousseau, justement. Là, il y a une route qui s'enfonce dans les bois. Sans lampadaires, des arbres, des arbres et des arbres et le vent, et la nuit et puis aussi, oui, l'angoisse. Sur cette route que je prends après les répétitions, qui se terminent vers 22 heures, je m'arrête pour attendre. Attendre que ça passe. Le vertige et la peur, et la peine, mais cela ne passe pas[9] ».

Forêts ressemble à cela, à une route qui s'enfonce la nuit dans une obscurité toujours plus grande, dans une forêt toujours plus dense. Vertige d'un chemin qui, plus il avance, plus il se ramifie et se transforme en labyrinthe. Sans cesse de nouvelles pièces apparaissaient et sans cesse l'image à constituer se dérobait. Si Wajdi Mouawad comprenait ce qu'il voulait raconter dans *Incendies*, chaque instant de *Forêts* se révélait

---

8. *Le Sang des promesses*, op. cit., p. 67.
9. *Ibid.*

plein d'incertitude. Il n'existait avant l'écriture ni ordre, ni plan préétabli. Que raconter ? Comment ? S'agissait-il de l'histoire de Léonie ? De Ludivine ? De Luce ? De Loup ? Quel point de vue choisir ? Quel fil narratif ? Quel instant de chaque vie ? De chaque époque ? Dans quel ordre ? Fallait-il raconter le suicide de la mère d'Albert ? Fallait-il raconter le mariage d'Alexandre et Mathilde ? Fallait-il raconter les mines ? Comment raconter Lucien ? Comment raconter sa désertion ? Le meurtre de son frère ? L'horreur de la guerre ?

Aucune réponse n'existait a priori. Elles surgissaient toujours de tentatives et d'essais. Les brouillons en témoignent, montrant les chemins empruntés puis abandonnés. Plusieurs semaines de répétition ont été ainsi consacrées à l'écriture et à la mise en place de scènes représentant Lucien et la Première Guerre mondiale, point de départ et longtemps cœur du projet.

DES HOMMES

Soldats. Masques à gaz.

LUCIEN. La moitié n'est pas revenue, sergent !

SERGENT. Alors renvoyer l'autre moitié ! Et si la moitié de la moitié revient, renvoyer là encore et comme ça jusqu'au dernier.

LUCIEN. Vous irez leur hurler ça vous-même parce que les hommes sont devenus sourds et les autres sont quasi fous et étouffent littéralement. Les morts, on les jette derrière les tranchées. Nous avons connu la bataille la plus âpre de toute, et vous nous dites encore « À l'attaque ! ». Nous n'avons pas ôté nos vêtements depuis 17 jours et 17 nuits, les tirs n'ont pas cessé 60 secondes et à l'arrière-plan de ce monde, on voit tous ces morts, ces blessés, ces infirmes.

SERGENT. Vous m'emmerdez avec vos statistiques à la con !

LUCIEN. Eh bien excusez-moi de vous emmerder encore davantage parce que faute d'équipement et de préparation, après quatre jours de combat, 22 000 soldats ont été tués sur un total de 80 000.

SERGENT. La situation l'exige et s'il faut en tuer 80 000 en une heure, on en tuera 80 000 en une heure !

LUCIEN. Rassurez-vous, ça risque d'être plus rapide encore parce qu'on ne se bat pas fusil contre fusil, canon contre canon et corps à corps là-bas ! Ce sont des nappes entières de cyanure qui nous attendent à chacune de nos charges ! Des vapeurs de chlore : vomissements, asphyxies, étouffements, empoisonnement !

SERGENT. Je m'en fous ! Si la ligne de front lâche, tout lâche ! Il faut tenir, quitte à ce que nous y passions jusqu'au dernier ! Le pays en dépend !

LUCIEN. Le pays est perdu !

SERGENT. Alors à l'attaque !

LUCIEN. Avec quoi ? Il n'y a plus d'hommes et les autres sont aveugles !

SERGENT. Envoyez les aveugles !

LUCIEN. Ça sera l'hécatombe !

SERGENT. L'hécatombe est bien partie pour le siècle au grand complet, alors consolez-vous et soyez fier : elle commencera avec nous ! À l'attaque[10] !

Lucien était physicien, avait un frère, Louis, marié et père de trois enfants, appelé à servir dans le même régiment que lui.

LOUIS. On n'y échappera pas cette fois, Lucien !

---

10. « Léonie 2 », *Brouillons*, Archives personnelles de Wajdi Mouawad, scène appelée « Des hommes ».

LUCIEN. On ne peut pas présumer !

LOUIS. Des mitrailleuses, on peut !

LUCIEN. Même des mitrailleuses on ne peut pas. Tout est vide autour de nous, Louis. Pendant ta course, tu répéteras ça !

LOUIS. Des mots, putain, Lucien !

LUCIEN. Non, des atomes. La nature se cache. N'oublie pas la visite à Notre-Dame. On était gamins. Maman qui priait, nous qui bouffions les cierges. Ça nous a semblé si grand. Imagine une tête d'épingle au centre de la cathédrale. C'est la taille d'un noyau au centre de son atome. La poussière dans l'air, ce sont les électrons. Le reste ce n'est que du vide. Voilà la matière. Les obus : du vide ; les balles : du vide ; la pluie et la boue et les cadavres : du vide ! Imagine les atomes d'une balle de mitrailleuse qui rencontrent les atomes de ta poitrine. Il existe une chance infime, mais elle existe Louis, pour que le vide des atomes de la balle coïncide avec le vide des atomes de ton corps. Deux pièces improbables qui se calent l'une dans l'autre de sorte que la matière ne rencontre pas la matière. La balle te traversera de bord en bord sans te toucher.

LOUIS. On n'est pas dans un laboratoire de physique, Lucien, merde !

LUCIEN. Au contraire, on est au fond de l'éprouvette. Tout ce qui est là et qui nous tombe dessus n'est que loi de la physique : vitesse, accélération, force, mouvement. Rien au-dessus, rien en dessous ! C'est ça le malheur. Dedans jusqu'au cul. La guerre, un atome plus gros que les autres. C'est tout. Toi, tu es un électron libre parce que beaucoup de vide autour de toi, n'oublie pas ça Louis, beaucoup de vide[11].

---

11. « Léonie 3 », *Brouillons*, Archives personnelles de Wajdi Mouawad.

De ces scènes, il n'est resté dans le spectacle que trois éclairs : l'apparition de Lucien, le visage couvert d'un masque à gaz, un couteau à la main, traversant le plateau ; son surgissement dans la caisson d'Aimée, où le gaz des tranchées se mêlait aux traitements d'Aimée ; le corps à corps des deux frères, fuyant le champ de bataille au cri : «Retraite de l'armée française». Trois éclairs apparus dans la mémoire d'Aimée comme des réminiscences.

Wajdi Mouawad n'a eu de cesse d'écrire, d'essayer, de couper, de recommencer, sans jamais savoir ce qu'était ni ce que serait le chemin de *Forêts*. Chaque partie était un nouveau départ et d'une certaine façon un nouveau découragement ; tout était de nouveau ouvert et possible et en friche, croisée d'innombrables chemins dont nul ne savait d'emblée lequel suivre. Jusqu'à la fin, *Forêts* a déjoué toute attente, toute idée, déplaçant et redéplaçant l'histoire. Quelques jours avant la première, tandis qu'il cherchait l'épilogue du spectacle et travaillait à une lettre que Sarah, au seuil de sa mort, adresserait à Loup, une inquiétude l'a submergé : ne manquait-il pas une comédienne, qui jouerait Sarah âgée ? Car la gageure était aussi celle-là : comment raconter une telle histoire avec onze comédiens ?

Pendant la création, Wajdi Mouawad a arpenté le plateau un réel couteau à la main prêt à trancher. Pris entre la complexité dévorante de l'histoire et la nécessité de transparence du récit, il marchait hanté par ce vers de Tagore : «Sorcier, ne me parle pas de la pluie mais fais pleuvoir[12]». Impératif catégorique, qui

---

12. *Le Sang des promesses*, *op. cit.*, p. 68.

s'ajoutait à l'injonction de *Forêts* d'être racontée. Les répétitions se sont déroulées entre ces deux mâchoires, entre «Comment raconter le zoo?» et «Comment sortir la chaise?», «Comment raconter quatorze naissances?» et «Comment les représenter?». «Comment trouver le raccourci nécessaire [pour donner] à l'histoire encore plus de force, plus de puissance[13]?» Entre immatériel et matériel, métaphysique et plomberie, *Forêts* s'esquivait et il fallait toujours essuyer plusieurs chemins avant de découvrir celui qui était juste. «Juste», non pas au sens d'une adéquation avec un plan préétabli, aucun choix n'ayant été fait au préalable de l'écriture; «juste», seulement parce que le plateau l'acceptait. Pris dans cet étau, Wajdi Mouawad a habité la nuit de *Forêts*, jusqu'à ce qu'enfin elle paraisse, au dernier mot, au dernier geste. Sans que la nuit, elle, ne disparaisse.

ÉCHOS DE L'OBSCUR

LE CRI DU SILENCE

Les ténèbres appartiennent à *Forêts*. Elles enveloppent l'histoire et le récit, et tous ceux qu'elle côtoie, auteur, acteur, spectateur. L'obscurité est partout, dans le cerveau d'Aimée, dans le cœur de Loup, dans le sexe de Ludivine, dans les allées de ce labyrinthe et les paysages auxquels il conduit: fosse, mine, gouffre, forêt. Dès les premiers mots, elle surgit: «Je ne me souviens de rien», dit Aimée avec légèreté, ouvrant l'abîme de la mémoire et celui de l'esprit. *Forêts*, se

---

13. *Idem*, p. 69.

refusant à l'évidence, se refuse à la prise ; elle multiplie les lieux, les époques, les chemins, ouvre des béances, pour défaire celui qui la rencontre de toute maîtrise ; et lorsqu'elle se retire, elle laisse surpris, les mains vides et l'âme bouleversée ; un vide brûlant, terrifiant, où l'on entend soudain résonner son propre silence.

Forêts ressemble à une caisse de résonnance ou au coffre d'un violon. Elle est un instrument à cordes. Au cœur de ses ténèbres se révèlent nos ténèbres. Sombrant dans l'obscurité des mâchoires de Luce, nous sommes aspirés au cœur de nous-mêmes, dans cet abîme où rôde un étranger, hôte inconnu, panthère au pas de velours dont nous ignorons tout, prête à jaillir, que Lino dessine sous un crâne diaphane[14].

Nous sommes des immeubles habités par un locataire dont nous ne savons rien. Nos façades ravalées présentent bien. Mais quel est ce fou atteint d'insomnie qui, à l'intérieur, reste des heures à tourner en rond, éteignant et rallumant des lumières ? [...] Nous sommes des immeubles avec une infinité de pièces, de couloirs, de corridors sombres, donnant à des escaliers qui montent et redescendent. Il y a là infinité de dédales auxquels mènent des ascenseurs donnant à des sous-étages, véritables mondes insoupçonnés pleins de colère, de sensualité, de sexualité, de fluides, d'hébétudes, de balbutiements. [...] Il y a là, dans le noir des immeubles que nous sommes, des salles-aquariums où flottent les poissons les plus étranges, les plus carnivores, les plus effrayants ! Des jardins intérieurs où vivent en liberté des animaux sauvages, des fauves magnifiques : pumas, lions, guépards, caïmans et tigres à dents de sabre ! Infinité d'oiseaux peuplant l'espace, nichant dans des lustres antiques, dans les renfoncements des portes et des

---

14. Wajdi Mouawad confie l'illustration de l'affiche de *Forêts* à Lino. Cette illustration est celle de la couverture du présent livre.

frontons. Mais tout cela, ce monde splendide, demeure inexploré, inconnu[15].

Chutant dans le gouffre de notre étrangeté, sans fin, sans fond, glacés par l'haleine de *Forêts*, nous entendons le cri silencieux de notre existence et cette question, pleine d'effroi : pourquoi moi est tombé sur moi ? Les ténèbres de *Forêts* conduisent là, à cette pièce fermée, oubliée, au cœur de cet immeuble dont nous ne connaissons rien, cette pièce à laquelle mène le passeur de *Stalker*[16], défaite de meubles, défaite de porte, défaite de fenêtres, chambre vide. C'est elle qui apparaît au début du document maître, sur une photographie en noir et blanc de Vladimir Clavijo-Telepnev[17], habitée par une enfant : une petite fille d'un autre temps se tient debout dans l'angle ; ses épaules, ses bras nus s'échappent de sa robe de velours, trop grande ; elle avance un pied vers le sol, lentement, et sur son visage se lit la conscience du silence. Dans le velours de sa robe, sans qu'elle ait besoin de le savoir, flotte son « poisson-soi » : ce poisson qui nage au cœur de l'existence et dont les écailles réfléchissent notre essence[18].

Au bas de cette photographie, Wajdi Mouawad a inscrit cette légende : « l'enfant-puzzle ». L'enfant-puzzle est né avec *Forêts*, on le découvre dans les

15. Extrait d'un texte de Wajdi Mouawad écrit pour le Théâtre français du Centre national des Arts, reproduit dans *Les Tigres de Wajdi Mouawad*, Joca Seria, Le Grand T, Nantes, 2009.
16. *Stalker*, Andreï Tarkovski.
17. Cette photo appartient à la série « Cherry Orchard » et apparaît sur le site de Vladimir Clavijo-Telepnev : http://www.clavijo.ru.
18. *Le Poisson-soi* a longtemps été un texte chantier. Wajdi Mouawad y dialogue avec l'écriture. Un premier état de ce texte est désormais publié aux Editions du Boréal, Montréal, 2011.

brouillons des premières ouvertures : dans une chambre fermée, un enfant remarque des pièces éparpillées ; il se penche pour tenter de les assembler et soudain une pluie de nouveaux fragments tombe à ses pieds. Il lève la tête, ne voit rien, recommence. Nouvelle pluie. Il comprend alors que chaque fois qu'il se saisira d'une pièce, une multitude d'autres surgira. Il fait un pas pour sortir, mais il entend le grognement d'un chien qui garde la porte. Il est pris au piège, sans autre voie possible pour conserver sa raison que de composer l'image fracassée qui n'est là que pour lui. L'enfant-puzzle évoque la création de *Forêts*, mais il est aussi plus que cela. Il est celui qui se cache derrière le rire de la hyène et que la hyène aimerait dévorer. Celui qui se trouve au cœur du cerveau d'Aimée, au cœur de la mâchoire de Luce et du sexe de Ludivine. Il est l'innocence de *Forêts*. Il est l'enfant que chacun porte en soi, qui accepte de joindre les pièces que l'existence, sans fin, précipite à ses pieds. L'enfant qui nous appelle pour le tirer du néant, abandonné, oublié.

Forêts forme un chemin en cascade dont les marches se dérobent. Partant d'une question, «Qu'est-ce qui me met en pièces donc ? Me dépèce[19] ?», elle en fait entendre une autre, sans jamais la nommer, sans jamais l'expliciter : «Pourquoi moi est tombé sur moi ?». Derrière le déploiement de l'histoire, derrière le tourbillon de la quête de Loup, derrière les cris d'un siècle traversé d'horreurs, derrière le rire de la hyène, s'ouvre un silence dans lequel soudain s'entend l'existence. Si *Incendies* et *Littoral* appartenaient à la lumière, à l'explicite, *Forêts* creuse un espace d'obscurité et c'est là, plus encore que dans ce qu'elle

---

19. *Forêts*, scène 8, p. 62.

conte, qu'elle se trouve. L'émotion née de *Forêts* ne peut être assignée à aucun instant narratif précis. Si la révélation d'*Incendies* bouleverse, laissant s'échapper en un seul souffle la stupeur du public, celle de *Forêts* n'agit pas ainsi. L'émotion survient plus tard, dans la trame des mots de Sarah et de Ludivine lorsqu'elles se quittent, dans ceux de Douglas et de Loup, dans ces échanges où cette question, «Pourquoi moi est tombé sur moi?», sans être prononcée, s'avoue et se livre à l'autre, se confesse jusqu'à l'acceptation. Acceptation du mystère de l'existence et de celui des chemins, dans la splendeur de l'instant limite où le monde, prêt à se fracasser, nous plonge dans l'eau du poisson-soi et nous fait voir notre vrai visage:

LUDIVINE. [...] Écoute: dans notre situation, dans notre époque qui assomme toute beauté, toute voix, toute aspiration, il faut aller en ligne droite, et sans dévier, vers la cible pour l'atteindre à la fine pointe acérée de la flèche et ainsi frapper en plein cœur le chagrin. Si tu refuses, Sarah, si tu refuses l'évidence, tout sera inversé! Celle qui peut donner la vie sacrifierait la sienne pour sauver celle qui ne peut la donner? Tu réalises l'aveuglement? Sarah, j'ai tout vécu avec toi, et par toi, et grâce à toi, ma vie aura été, malgré tout, une flamme, une vague, une plage, un souffle. J'ai tout pleuré par toi, j'ai tout aimé par toi, j'ai tout ri par toi, j'ai tout compris par toi et j'ai tout appris par toi et tu ne veux pas que je meure pour toi? Sarah, je t'en prie, ne crains pas car je vivrai tout ce qui m'attend avec force puisque je me dirai à chaque instant "ce que je vis je l'épargne à Sarah, ce que je souffre je l'épargne à Sarah", alors rien ne me fera trembler, je te jure, te le promets[20]!

Le bouleversement vient peut-être de là, de la compréhension, ou plutôt du pressentiment puisque

---

20. *Forêts*, scène 22, p. 154-155.

rien jamais n'est explicite, qu'à contre-courant du siècle qui a fait le sacrifice de ses enfants, à contre-courant des hommes qui les ont brisés, parfois malgré eux, à contre-courant de la pièce qui enchâsse malheur sur malheur, c'est cela qui a été tenté, sauver l'innocence, sauver la beauté, sauver l'enfant-puzzle en le tirant du néant. Léonie abandonnant Ludivine a voulu lui offrir le monde, et Sarah, abandonnant Luce, la vie. Ce geste, enseveli, est enfin révélé ; l'enfant-puzzle peut retrouver sa voix et le silence de l'existence peut de nouveau être écouté.

L'insaisissable

« Nature aime se cacher », glissait Héraclite à l'orée de *Forêts*. *Forêts* invite sans cesse à s'écarter du chemin qui paraît pour vagabonder dans l'obscurité des bas-côtés et regarder la route « de profil ». Dans le vertige de son tracé, dans son goût pour l'obscurité, dans son plaisir à éparpiller des pièces et à multiplier ses visages, *Forêts* éconduit tout désir de maîtrise ou d'univocité et fait comprendre que c'est peut-être de cela qu'il s'agit : de l'impossibilité de circonscrire et de réduire le réel au seul visible.

Forêts fait vaciller les notions d'achèvement et de vérité et avec elles le motif de la quête qu'elle déplace et abstrait. À bien y regarder, la quête de *Forêts* cesse sans être réellement achevée. Jusqu'au dernier instant, des questions restent posées :

DOUGLAS. […] Pourtant l'une choisit tout de même de donner sa vie pour sauver celle de l'autre. Pourquoi ?

LOUP. Pourquoi ?

DOUGLAS. Pourquoi Ludivine fait-elle le sacrifice de sa vie alors que rien ne la rattache à Sarah? ni sœur, ni mère, ni fille. Deux générations plus tard, Ludivine laisse une trace d'elle-même dans le corps des enfants de Sarah : un os flottant au milieu d'un esprit. Comment appelle-t-on cela, Loup?

LOUP. Comment?

DOUGLAS. Êtes-vous Loup Keller? Êtes-vous Loup Cohen? Ou la rencontre entre Keller et Cohen? Qu'est-ce qui est vrai[21]?

Partis à la recherche d'une réponse, convaincus de son existence, c'est-à-dire de l'existence d'une vérité, Douglas et Loup parviennent à un indécidable : l'idée de vérité s'effrite et se retire; plusieurs réponses sont possibles et ces possibles coexistent, sans s'exclure ou s'annuler.

Cherchant une réponse, Douglas et Loup retrouvent la force des questions, de ce «Pourquoi?» si cher à l'enfance, répété inlassablement comme on interroge et creuse inlassablement le réel; ils retrouvent l'intuition que le réel est inépuisable. Ce qui échappe ne crée plus de manque, ni de déchirement. Au crâne que le père de Douglas puis Douglas reconstituent, il manque un fragment, tandis qu'Aimée porte dans son crâne un corps étranger : il existe toujours une «pièce» en moins ou en trop, à l'image du puzzle de l'enfant-puzzle, sans fin. Résoudre est impossible, et circonscrire, et dénombrer, et arrêter.

On dit parfois des arbres qu'ils cachent les forêts; *Forêts* est peut-être non pas «ce qui cache» mais «ce» qui se cache, non pas vacarme mais silence. Ou plutôt, elle serait les deux à la fois, visible et invisible, présence

---

21. *Forêts*, scène 23, p. 157.

et absence, dit et non-dit, être et non-être. Au cœur de ses ténèbres comme au cœur d'un instrument vibre la présence d'un mystère, qu'incarne cet os survenu dans le crâne d'Aimée, irréductible à toute logique, raison ou vraisemblance. Le réel excède le visible et *Forêts*, poétiquement, rejoint l'intuition quantique.

LA CÉSURE

Dans son assourdissante rumeur, dans son ahurissante complexité, *Forêts* porte son contraire ; elle ouvre et appelle un silence, silence de l'existence, silence du monde. Au cœur de la phrase d'Héraclite est inscrit ce mouvement. «Physis», traduit par «nature», dit aussi l'éclosion, la percée vers la lumière, que le mot de «nature» malgré lui occulte, figeant les choses dans une essence. «Nature aime se cacher», c'est-à-dire aussi «l'éclosion aime se voiler» : tout mouvement vers le visible est aussi mouvement vers l'invisible, toute éclosion s'accompagne d'un retrait[22].

Ce double mouvement semble traverser *Forêts* et fait d'elle, au sein du *Sang des promesses*, la syllabe accentuée d'un vers après laquelle advient une césure.

> Avec *Forêts* s'achève pour moi, je crois bien, une manière de raconter et de déplier une histoire ; s'achève aussi cette conviction de la nécessité des origines et de l'héritage, comme si, plus important encore que le passé, il y avait les ténèbres qu'il fallait pénétrer, quitte à y laisser sa peau et sa raison, pour tenter d'éclairer la violence de notre présence[23].

22. Je tiens à remercier Robert Davreu, poète et traducteur, pour ces explications précieuses.
23. *Forêts*, «La contradiction qui fait tout exister», préface, p. 10.

Sans être une suite narrative, *Forêts* prolonge le geste de *Littoral* et d'*Incendies* en creusant à son tour la question de l'héritage, «cet héritage sourd que des générations et des générations peuvent se transmettre jusqu'à ne plus avoir le choix, par trop de douleur, que de briser le tamis qui nous voile la vérité, pour faire en sorte que cet héritage silencieux, devienne un héritage bruyant, évident, cru, étalé là, sous la lumière[24].» Loup suit à Wilfrid, Jeanne et Simon. Etouffée par un chagrin et une colère auxquels elle ne comprend rien, elle n'a d'autre choix que de résoudre «l'énigme qui cadenasse son existence[25]». Comme eux, elle ressent le besoin de retirer le couteau de l'enfance planté dans sa gorge, comme eux elle est habitée par une soif insatiable de l'infini, comme eux elle entreprend un voyage, en quête de ses origines, et, partant à la rencontre du passé, rencontre l'autre. *Forêts* poursuit l'odyssée d'*Incendies* et de *Littoral*, qui de l'oubli mène à la mémoire, de l'aveuglement à la lumière, du silence à la parole. Elle poursuit ce geste en le déployant, «de manière plus complexe et plus précise[26]», au sens militaire presque d'une armée qui se déploie pour couvrir de front un champ de bataille immense : déploiement de l'histoire, devenue tentaculaire ; déploiement de l'écriture qui porte plus loin encore l'enchevêtrement ; déploiement de la langue, d'une parole lyrique et performative où le mot est à la fois acte et poésie ; déploiement de la mise

---

24. Archives personnelles de Wajdi Mouawad, «*Forêts*. Présentation du plus large au plus serré», «00», p. 1. Lorsque ce document est rédigé, *Forêts* raconte l'histoire de Léon.

25. *Forêts*, scène 7, p. 60.

26. Archives personnelles de Wajdi Mouawad, «*Forêts*, Présentation du plus large au plus serré», «00», p. 1.

en scène, qui creuse plus encore le travail de l'image et le rapport à l'espace, où tout se croise et se fond dans la circulation des corps, des objets, des lumières[27].

Mais dans ce déploiement, dans l'accent de cette syllabe, quelque chose se déplace. La nécessité des origines s'estompe, comme si la réponse ne se trouvait plus dans le sang.

> LOUP. [Le fil du passé] ne nous relie pas, il nous condamne. Moi, du moins, il me condamne. On peut remonter encore et encore et passer notre vie, vous et moi, Douglas, à chercher et fouiller et oublier le présent. On peut, si ça vous fait plaisir, passer nos jours ensemble. Qu'est-ce qu'on a trouvé en trouvant ça ? Ma généalogie ? on s'en crisses-tu assez, tu penses, de ma généalogie ? Qu'est-ce qu'on a trouvé ? […] Maintenant que je connais l'histoire de mon sang, eh bien, ce sang-là, celui que j'ai dans mes veines, celui-là, eh bien, j'ai encore plus envie qu'avant de prendre le couteau puis de me trancher les veines pour me le vider jusqu'à la dernière tache, le faire disparaître[28].

---

27. Dans la mise en scène de Wajdi Mouawad, intérieur et extérieur, passé et présent s'imbriquent en effet sur le plateau comme les faisceaux d'une lumière, représentant tour à tour une chambre d'hôtel en 2006, un zoo au début du siècle, une salle à manger en 1871, une classe de dessin avant la guerre vers la fin des années 30, un asile et un camp de concentration pendant la Seconde Guerre, l'antichambre d'un notaire, un cimetière ou un chantier de bâtiment en 2006. Les objets, table, chaises, masse, couteau, circulent d'un temps à un autre, dessinant les espaces que les corps des acteurs font surgir et parfois coexister, révélant ce temps circulaire : les cloches sonnent tout à la fois pour Loup, pour Ludivine et Edmond, Odette et Albert ; la pluie tombe sur le cimetière où sont enterrés Rose et Louis Davre et sur le zoo. Et lorsque l'ouvrier détruit un mur indiqué par Baptiste sur un chantier, le crâne de Ludivine éclate en 1944.

28. *Forêts,* scène 19, p. 135.

L'espace de la famille devient un lieu d'asphyxie et s'épuise dans la figure du zoo qui sombre dans le viol, l'inceste, le meurtre, la monstruosité, la folie. *Forêts*, par la stérilité de Ludivine, se défait du sang et s'extrait de l'univers familial. Ce qui au sein de la pièce est un «coup de théâtre» est au sein de l'œuvre un déplacement, une bifurcation : *Forêts* quitte le chemin de *Littoral* et d'*Incendies*, et abandonne les terres anciennes, celles de *Journée de noces chez les Cromagnons*, de *Willy Protagoras enfermé dans les toilettes*, des *Mains d'Edwige*, qui toutes prenaient la famille comme cadre et comme horizon.

L'arbre s'échappe et crée une percée, dévoilant un autre espace : l'amitié. Loup cesse sa course lorsqu'elle découvre le geste que Ludivine a posé envers Sarah, donnant sa vie en donnant son identité. Un geste né d'aucune obligation, né de rien, un geste qui est son propre fondement et délivre de toute condamnation ou détermination ; une liberté, exercée jusqu'au défi du cauchemar qu'elle prend à son propre piège, puisque Ludivine, non juive, sera tuée et sauvera une juive. Ludivine, lumière divine : clairière au milieu de *Forêts*.

*

Forêts arase l'espace. Elle ouvre sur le silence d'une clairière ou d'un rivage désolé. Une brume légère efface la précision des contours et offre dans le vide laissé l'intuition d'une présence d'habitude retirée. Pour un instant, à mille milles de la fureur traversée, on pressent ce qui échappe ou a été oublié. L'écriture elle-même découvre ce lieu. Et de là ira vers d'autres terres, vers *Seuls*, vers *Ciels*.